ざんねんな兵《へい》器《き》図《ず》鑑《かん》

世《せ》界《かい》兵《へい》器《き》史《し》研《けん》究《きゅう》会《かい》

JN239897

KADOKAWA

ざんねんな兵器図鑑《へいきずかん》

はじめに

戦《たたか》いのあるところ珍兵器《ちんへいき》あり!?

兵器《へいき》と戦争《せんそう》は切《き》っても切《き》れないものです。人間《にんげん》がこの世《よ》に現《あらわ》れて以《い》来《らい》、さまざまな人《ひと》たちが、いろいろな兵器《へいき》を考《かんが》えてきました。

そのなかには、

「なんだコレ!?」

「どうしてこうなった!?」

というような珍兵器《ちんへいき》、または〝ざんねんな兵器《へいき》〟が多《おお》くあります。

よくよく考《かんが》えれば失敗《しっぱい》するとわかっていたはずなのに、なぜか生《う》まれてしまった兵器《へいき》たち。

なぜ誰《だれ》も止《と》めなかったのか、
どうしてこんな形《かたち》になってしまったのか。

「キミ、それ本気《ほんき》かい!?」

とツッコみたいところはいろいろありますが、当時《とうじ》の人《ひと》たちは大《おお》真面目《まじめ》に考《かんが》えて造《つく》っていたのです。

ここに並《なら》べた〝ざんねんな兵器《へいき》〟たちは、いずれも歴史《れきし》に名前《なまえ》を残《のこ》すことに失敗《しっぱい》した、哀愁《あいしゅう》ただよう珍兵器《ちんへいき》たちです。

どうか、温《あたた》かい目《め》で彼《かれ》らを見守《みま》ってやってください。

兵器《へいき》はどうやって生《う》まれるのか⁉

戦車《せんしゃ》の誕生《たんじょう》

兵器《へいき》の開発《かいはつ》は、それ自体《じたい》が戦《たたか》いだ！

時《とき》は第一次世界大戦《だいいちじせかいたいせん》（1914～1918）。この戦《たたか》いでは、高速《こうそく》で銃弾《じゅうだん》を撃《う》てる機関銃《きかんじゅう》が登場《とうじょう》し、兵士《へいし》は「塹壕《ざんごう》」と呼《よ》ばれる長《なが》い穴《あな》を掘《ほ》って、地面《じめん》の下《した》に隠《かく》れるようになりました。兵士《へいし》が敵《てき》を攻撃《こうげき》しようとすれば、塹壕《ざんごう》に設置《せっち》された機関銃《きかんじゅう》にすぐ撃《う》たれてしまい、とても前《まえ》に進《すす》めません。

この状況《じょうきょう》を何《なん》とかするために、世界各国《せかいかっこく》は様々《さまざま》な兵器《へいき》を思《おも》いつきますが、いずれも性能《せいのう》が足《た》りず消《き》えていきます。そして、イギリスの考《かんが》えた「戦車《せんしゃ》」という兵器《へいき》が、この兵器開発競争《へいきかいはつきょうそう》に勝《か》ち残《のこ》り、戦争《せんそう》の形《かたち》を大《おお》きく変《か》えたのでした。

マークI戦車《せんしゃ》

プロフィール

■開《かい》　発《はつ》……イギリス　■年《ねん》　代《だい》……1916年《ねん》　■全《ぜん》　長《ちょう》……9.9m
■最高速度《さいこうそくど》……5.95km/h　■兵《へい》　装《そう》……57mm砲《ほう》

世界初《せかいはつ》の戦車《せんしゃ》。敵《てき》の塹壕《ざんごう》を突破《とっぱ》し、戦《たたか》いを有利《ゆうり》に進《すす》めるために生《う》まれました。地面《じめん》の穴《あな》を越《こ》えるため、車体《しゃたい》はひし形《がた》に伸《の》ばされており、キャタピラを使《つか》ってゆっくりと前《まえ》に進《すす》みます。実《じつ》は、この戦車《せんしゃ》は車体《しゃたい》が長《なが》すぎて左右《さゆう》に曲《ま》がりにくいという〝ざんねんな〟欠点《けってん》があり、最初《さいしょ》の頃《ころ》は後《うし》ろに車輪《しゃりん》をつけないと曲《ま》がることができませんでした。

空母《くうぼ》の誕生《たんじょう》

別《べつ》の分野《ぶんや》の兵器《へいき》が、思《おも》わぬ形《かたち》で合体《がったい》することも

飛行機《ひこうき》が空《そら》を飛《と》んだのは、１９０３年のライトフライヤー号《ごう》からです。第一《だいいち》次世界大戦《じせかいたいせん》の頃《ころ》になると、飛行機《ひこうき》は新《あたら》しい兵器《へいき》として注目《ちゅうもく》され、いろいろな使《つか》い方《かた》がなされました。

そのなかで、軍艦《ぐんかん》に飛行機《ひこうき》を乗《の》せるという試《こころ》みも行《おこな》われました。いわゆる「航空母艦《こうくうぼかん》」(空母《くうぼ》)です。海《うみ》の軍艦《ぐんかん》と空《そら》の飛行機《ひこうき》、全《まった》く異《こと》なる分野《ぶんや》の兵器《へいき》が合体《がったい》し、第二次世界大戦《だいにじせかいたいせん》（１９３９~１９４５）で大活躍《だいかつやく》しました。空母《くうぼ》は現代《げんだい》でも、海軍《かいぐん》の強《つよ》さの象徴《しょうちょう》として在《あ》り続《つづ》けています。

海《うみ》の上《うえ》ならどこでも
飛行機《ひこうき》を飛《と》ばせる!
これってすごく便利《べんり》な
ことなんだよ!

ジェラルド・R・フォード級《きゅう》航《こう》空《くう》母《ぼ》艦《かん》

プロフィール

■開《かい》　発《はつ》……アメリカ　■年《ねん》　代《だい》……2017年《ねん》～現代《げんだい》　■全《ぜん》　長《ちょう》……333.0m
■全《ぜん》　幅《ぷく》……41.0m　■速《そく》　度《ど》……30ノット

アメリカ海軍《かいぐん》の最新空母《さいしんくうぼ》です。現代《げんだい》の戦争《せんそう》に対応《たいおう》し、艦隊《かんたい》の中心《ちゅうしん》となって作戦行動《さくせんこうどう》を行《おこな》います。F-35を含《ふく》む75機《き》もの飛行機《ひこうき》を載《の》せることが可能《かのう》で、将来的《しょうらいてき》にはレーザー砲《ほう》なども搭載《とうさい》するといわれています。

ステルス機《き》の誕生《たんじょう》

兵器《へいき》は時代《じだい》によって姿《すがた》・形《かたち》がガラリと変《か》わる

兵器《へいき》は時代《じだい》を経《へ》るごとに、どんどんその形《かたち》を変《か》えていきます。その一例《いちれい》として、ステルス機《き》と呼《よ》ばれる飛行機《ひこうき》を見《み》てみましょう。ステルス機《き》は、レーダーから自分《じぶん》を見《み》えにくくする機能《きのう》を持《も》った飛行機《ひこうき》です。とにかく相手《あいて》に見《み》つけられないことを1番《ばん》に考《かんが》えているので、普通《ふつう》の飛行機《ひこうき》とは全《まった》く異《こと》なった形《かたち》をしています。代表的《だいひょうてき》なステルス機《き》に、B-2爆撃機《ばくげきき》があります。この飛行機《ひこうき》は巨大《きょだい》なエイのように薄《うす》っぺらい形《かたち》をしていて尾翼《びよく》がありません。このような形《かたち》では飛《と》んでも安定《あんてい》しにくいのですが、最新《さいしん》のコンピューターで機体《きたい》を制御《せいぎょ》し、安定《あんてい》した性能《せいのう》を保《たも》っています。技術《ぎじゅつ》の進化《しんか》で、兵器《へいき》もまた進化《しんか》していくのです。

プロフィール

■開《かい》　発《はつ》……アメリカ
■年《ねん》　代《だい》……1997年《ねん》～現代《げんだい》

B-2〝スピリット〟爆撃機《ばくげきき》

アメリカが開発《かいはつ》したステルス爆撃機《ばくげきき》で、世界《せかい》で唯一《ゆいいつ》、尾翼《びよく》をもたない「全《ぜん》翼機《よくき》」として実用化《じつようか》された飛行機《ひこうき》です。大量《たいりょう》の爆弾《ばくだん》をなかに搭載《とうさい》し、目標《もくひょう》の上空《じょうくう》で投下《とうか》するのが任務《にんむ》です。作《つく》るのにとてもお金《かね》がかかり、わずか21機《き》しか作《つく》られていません。

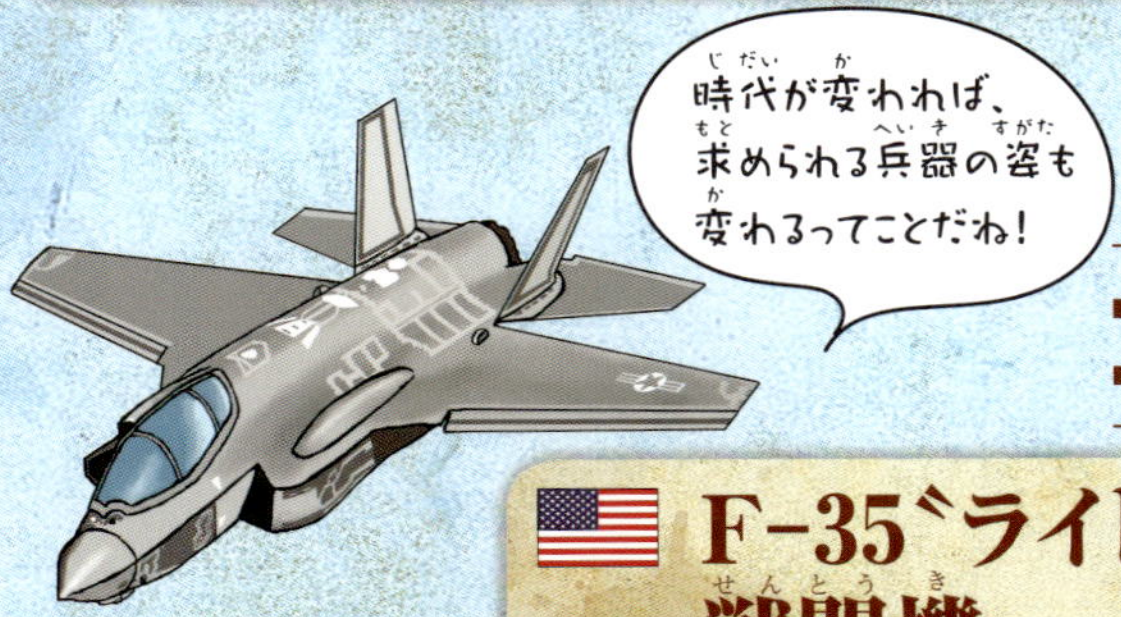
時代《じだい》が変《か》われば、
求《もと》められる兵器《へいき》の姿《すがた》も
変《か》わるってことだね！

プロフィール

■開《かい》　発《はつ》……アメリカ
■年《ねん》　代《だい》……2010年《ねん》～現代《げんだい》

F-35〝ライトニングⅡ〟戦闘機《せんとうき》

世界最新《せかいさいしん》のステルス戦闘機《せんとうき》で、戦闘機《せんとうき》や爆撃機《ばくげきき》の任務《にんむ》をなんでもこなせる〝マルチロールファイター〟として開発《かいはつ》されました。もう少《すこ》し時代《じだい》が進《すす》めば、軍隊《ぐんたい》で使《つか》われる全《すべ》ての飛行機《ひこうき》が、このF-35になるのかもしれません。最大速度《さいだいそくど》はマッハ1.6です。

第《だい》1章《しょう》　ざんねんな発射《はっしゃ》兵器《へいき》

第《だい》2章《しょう》　ざんねんな移動《いどう》兵器《へいき》

第《だい》3章《しょう》　ざんねんな陸《りく》の兵器《へいき》

第《だい》4章《しょう》　ざんねんな海《うみ》の兵器《へいき》

第《だい》5章《しょう》　ざんねんな空《そら》の兵器《へいき》

第《だい》6章《しょう》 ざんねんないきもの兵器《へいき》

第《だい》1章《しょう》

ざんねんな発《はっ》射《しゃ》兵《へい》器《き》

ヘルメット銃《じゅう》

開発《かいはつ》 アメリカ

年代《ねんだい》 1910年代《ねんだい》

撃《う》つ前《まえ》に首《くび》をきたえないと気絶《きぜつ》します

プロフィール

■全長《ぜんちょう》……不明《ふめい》　■兵装《へいそう》……不明《ふめい》

第一次世界大戦《だいいちじせかいたいせん》ではさまざまな近代兵器《きんだいへいき》が発明《はつめい》されましたが、なかにはこんな珍兵器《ちんへいき》もありました。このヘルメット銃《じゅう》は、**文字通《もじどお》りヘルメットと銃《じゅう》が合体《がったい》してしまったヘンテコ兵器《へいき》です。**

このヘルメットは、アメリカのアルバート・B・プラットによって設計《せっけい》されました。特徴《とくちょう》はヘルメットの上《うえ》の部分《ぶぶん》に銃《じゅう》が付《つ》いていることで、かぶった人《ひと》の目線《めせん》に合《あ》うように照《しょう》準器《じゅんき》も付《つ》けられています。

撃《う》ち方《かた》は簡単《かんたん》で、ヘルメットから伸《の》びる細《ほそ》いチューブを口《くち》に含《ふく》み、息《いき》を吹《ふ》くだけ。するとチューブから空気《くうき》が送《おく》られ、自動的《じどうてき》に弾《たま》が発射《はっしゃ》される仕組《しく》みになっています。

このヘルメットを使《つか》えば、目標《もくひょう》を正確《せいかく》に撃《う》ち抜《ぬ》くことができます。頭《あたま》を向《む》けて目標《もくひょう》を見《み》ることが、そのまま銃《じゅう》の狙《ねら》いを定《さだ》めたことになるからです。しかし、そこには致命的《ちめいてき》な欠《けっ》点《てん》がありました。**銃《じゅう》を撃《う》ったときの衝撃《しょうげき》がダイレクトに首《くび》に伝《つた》わり、間違《まちが》いなく首《くび》を痛《いた》めることになる**のです。だから、実用化《じつようか》はされませんでした。

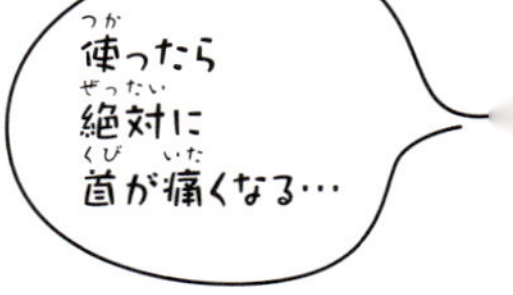
使《つか》ったら
絶対《ぜったい》に
首《くび》が痛《いた》くなる…

ダイナマイト砲《ほう》

開発《かいはつ》 アメリカ

年代《ねんだい》 19世紀《せいき》

火薬《かやく》を使《つか》わず飛《と》ばすという考《かんが》えはよかった

効果《こうか》がイマイチで
そんなに
流行《はや》らなかった…

アルフレッド・ノーベル

プロフィール

- 全長《ぜんちょう》……4.3m
- 兵装《へいそう》……6.4cm ダイナマイト弾《だん》
- 重《おも》さ……450kg

19世紀《せいき》、ノーベル賞《しょう》の元《もと》になったアルフレッド・ノーベルは、強《つよ》い爆発《ばくはつ》力《りょく》を持《も》つダイナマイトの開発《かいはつ》に成功《せいこう》しました。アメリカは、この**ダイナマイトを砲弾《ほうだん》にして飛《と》ばす〝ダイナマイト砲《ほう》〟を開発《かいはつ》しました**。ダイナマイトはわずかな衝撃《しょうげき》でも爆発《ばくはつ》しやすいので火薬《かやく》を使《つか》わず、圧縮空気《あっしゅくくうき》を使《つか》って撃《う》ち出《だ》します。

歴史《れきし》を変《か》える兵器《へいき》として期待《きたい》されましたが、撃《う》ち出《だ》し方《かた》が特殊《とくしゅ》なのでそんなに遠《とお》くへ飛《と》ばず、威力《いりょく》も弱《よわ》かったので、あまり活躍《かつやく》できませんでした。

ざんねん度《ど》 😟😟

ブリュースター・ボディシールド

弾丸《だんがん》は防《ふせ》ぐけれどあまりにも重《おも》すぎた

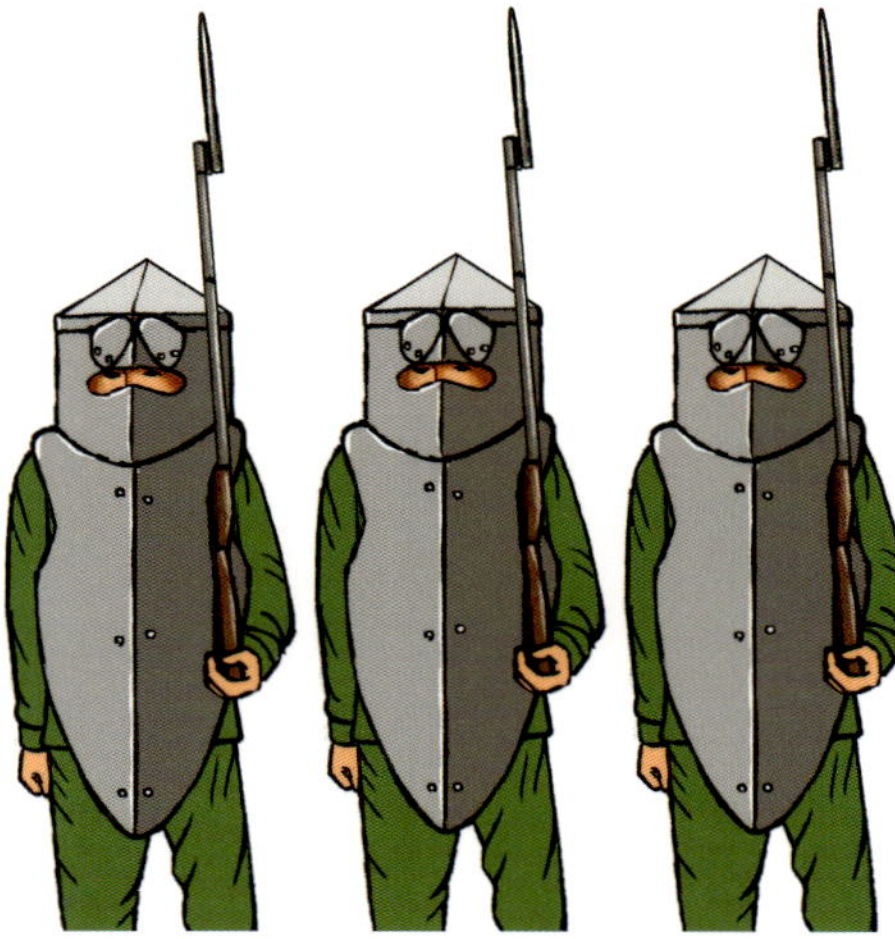

なんだかSFの宇宙人《うちゅうじん》みたい

開発《かいはつ》　アメリカ

年代《ねんだい》　19世紀《せいき》

プロフィール

■重《おも》　さ……18kg　■素《そ》　材《ざい》……クロムニッケル鋼《こう》

第一次世界大戦《だいいちじせかいたいせん》では、機関銃《きかんじゅう》という兵器《へいき》が登場《とうじょう》し、戦争《せんそう》の形《かたち》を大《おお》きく変《か》えました。短《みじか》い時間《じかん》で大量《たいりょう》の弾丸《だんがん》を発射《はっしゃ》する機関銃《きかんじゅう》に対抗《たいこう》するためには、分厚《ぶあつ》い鎧《よろい》を身《み》につければ良《よ》いと考《かんが》えたアメリカは、ブリュースター・ボディシールドという防具《ぼうぐ》を作成《さくせい》します。

この防具《ぼうぐ》は材料《ざいりょう》に鋼《はがね》を使《つか》っています。が、問題《もんだい》はその重《おも》さ。**なんと18kgもあるので、身《み》につけた兵士《へいし》はとても動《うご》きにくく、試作《しさく》で終《お》わりました。**もし実用化《じつようか》されていたら、こんな姿《すがた》の兵士《へいし》が戦場《せんじょう》を戦《たたか》うシュールな光景《こうけい》が見《み》られたかもしれません。

オナラ爆弾《ばくだん》

屁《へ》をこいた犯人探《はんにんさが》しで仲間割《なかまわ》れを狙《ねら》ってみた

ただクサいだけで、
なんの意味《いみ》もない…

開発《かいはつ》 アメリカ
年代《ねんだい》 1990年代《ねんだい》

プロフィール

- 全長《ぜんちょう》……不明《ふめい》
- 兵装《へいそう》……オナラのにおいがする特殊《とくしゅ》ガス

戦争《せんそう》では互《たが》いの軍隊《ぐんたい》が戦《たたか》って相手《あいて》を倒《たお》すのが普通《ふつう》ですが、より賢《かしこ》い戦法《せんぽう》として、戦《たたか》う前《まえ》から敵《てき》のやる気《き》を奪《うば》い、戦《たたか》わずして勝利《しょうり》するというやり方《かた》があります。そこで考《かんが》えたのが、**「敵《てき》の軍隊《ぐんたい》にオナラのにおいをばらまいて『誰《だれ》がオナラした⁉』と争《あらそ》わせる」ことを狙《ねら》ったヘンテコ爆弾《ばくだん》、通称《つうしょう》〝オナラ爆弾《ばくだん》〟です。**

実《じつ》は1990年代《ねんだい》まで研究《けんきゅう》されていましたが、計画中止《けいかくちゅうし》となりました。なぜなら、**オナラのにおいは世界中《せかいじゅう》の人々《ひとびと》が知《し》っているので、誰《だれ》も敵《てき》の攻撃《こうげき》だと気《き》づかない**と考《かんが》えられたからでした。

ざんねん度《ど》 ☹☹

イ号一型乙無線誘導弾《ごういちがたおつむせんゆうどうだん》

何《なに》がおまえを導《みちび》いた……女湯《おんなゆ》に忍《しの》び込《こ》む誘導弾《ゆうどうだん》

開発《かいはつ》 日本《にほん》

年代《ねんだい》 1944年《ねん》

プロフィール

- 全《ぜん》 長《ちょう》……40.9m
- 最大速度《さいだいそくど》……不明《ふめい》
- 重《おも》 さ……680kg
- 爆弾搭載量《ばくだんとうさいりょう》……300kg

誘導弾《ゆうどうだん》とは、いわゆるミサイルの先《さき》駆《が》けにあたる兵器《へいき》の1つです。航空機《こうくうき》から投下《とうか》し、パイロットが手動《しゅどう》で目標《もくひょう》まで誘導《ゆうどう》して爆発《ばくはつ》させます。

この研究《けんきゅう》は、第二次世界大戦中《だいにじせかいたいせんちゅう》に世《せ》界各国《かいかっこく》で行《おこな》われていました。初《はじ》めて実《じつ》用化《ようか》に成功《せいこう》したのはドイツですが、日《に》本《ほん》でも研究《けんきゅう》が行《おこな》われた1つが、イ号一《ごういち》型乙無線誘導弾《がたおつむせんゆうどうだん》です。しかし試験飛行《しけんひこう》のとき、**飛行機《ひこうき》から投下《とうか》されたあとのコントロールに失敗《しっぱい》し、旅館《りょかん》の温泉《おんせん》（女性湯《じょせいゆ》）を直撃《ちょくげき》してしまいました。**

終戦直前《しゅうせんちょくぜん》まで開発《かいはつ》が続《つづ》けられましたが、実用化《じつようか》には至《いた》りませんでした。

ラゴンダ対空火炎放射器《たいくうかえんほうしゃき》

開発《かいはつ》 イギリス

年代《ねんだい》 1940年代《ねんだい》

飛行機《ひこうき》に火《ひ》を吹《ふ》いても届《とど》きませんよ

火炎放射器《かえんほうしゃき》は、地上《ちじょう》の目標《もくひょう》に向《む》けて炎《ほのお》を発《はっ》射《しゃ》する兵器《へいき》です。ところが、なんとその**火炎《かえん》放射器《ほうしゃき》を上向《うえむ》きに発射《はっしゃ》しようとした**とんでもない国《くに》がありました。イギリスです。

イギリスが作《つく》った対空兵器《たいくうへいき》に、ラゴンダというものがあります。これは火炎《かえん》を敵《てき》の飛行《ひこう》機《き》に吹《ふ》き付《つ》けることで、飛行機《ひこうき》を燃《も》やして撃《う》ち落《お》とすというもので、第二次世界大戦中《だいにじせかいたいせんちゅう》に開発《かいはつ》されました。

しかし、上空《じょうくう》を素早《すばや》く飛《と》ぶ飛行機《ひこうき》に火炎《かえん》を吹《ふ》き付《つ》けるのは難《むずか》しく、せいぜい90mしか届《とど》かなかったので、**まず命中《めいちゅう》しませんでした**。たとえ火炎《かえん》が当《あ》たったとしても、それは一瞬《いっしゅん》の出来事《できごと》で、**飛行機《ひこうき》を燃《も》え上《あ》がらせるほどの力《ちから》はありません**（パイロットがびっくりするだけです）。

さらに炎《ほのお》を上《うえ》に向《む》けて発射《はっしゃ》するので、地上《ちじょう》に降《ふ》りかかる火《ひ》の粉《こ》もまたすごく、**味方《みかた》も一《いっ》緒《しょ》に燃《も》えてしまいかねない**、とても危険《きけん》な兵《へい》器《き》になってしまいました。

プロフィール

■飛距離《ひきょり》……91m　■燃　料《ねんりょう》……約《やく》2トン

怪力光線《かいりきこうせん》Z

電子《でんし》の力《ちから》で敵《てき》をチンして料理《りょうり》する

開発《かいはつ》 日本《にほん》

年代《ねんだい》 1940年代《ねんだい》

SF作品《さくひん》に登場《とうじょう》するレーザービームなどの兵器《へいき》を、太平洋戦争中《たいへいようせんそうちゅう》に日本《にほん》が開発《かいはつ》していたことがあります。

それらは「Z兵器《へいき》」と呼《よ》ばれ、戦争《せんそう》を有利《ゆうり》に進《すす》めるために神奈川県川崎市《かながわけんかわさきし》にあった陸軍《りくぐん》登戸研究所《のぼりとけんきゅうじょ》で研究《けんきゅう》されていました。中《なか》でも特《とく》に有名《ゆうめい》なのが、「怪力光線《かいりきこうせん》」です。

これはマイクロ波《は》を目標《もくひょう》に向《む》けて発射《はっしゃ》し、目標《もくひょう》を加熱《かねつ》させて破壊《はかい》する恐《おそ》ろしい兵器《へいき》です。**いわば電子《でんし》レンジの原理《げんり》と同《おな》じで、敵《てき》の兵士《へいし》をチンしてしまおうという発想《はっそう》です。**実験《じっけん》では数《すう》メートルの距離《きょり》から目標《もくひょう》を加熱《かねつ》させることに成功《せいこう》したものの、実用化《じつようか》には至《いた》りませんでした。

いまでも
ナゾが多《おお》い
兵器《へいき》の1つだよ

プロフィール

■全《ぜん》　長《ちょう》……不明《ふめい》　■兵《へい》　装《そう》……マイクロ波《は》

風力砲《ふうりょくほう》

飛行機《ひこうき》に空気《くうき》を当《あ》てて落《お》とすはずでした

風《かぜ》の力《ちから》で
飛行機《ひこうき》を
吹《ふ》っ飛《と》ばせ！

開発《かいはつ》 ドイツ

年代《ねんだい》 1940年代《ねんだい》

プロフィール

■全《ぜん》　長《ちょう》……10.7m　■兵《へい》　装《そう》……圧縮空気《あっしゅくくうき》

第二次世界大戦後半《だいにじせかいたいせんこうはん》、ドイツは連合《れんごう》国《こく》の攻撃《こうげき》に対抗《たいこう》するため、ジェット機《き》やミサイルといった「最新兵器《さいしんへいき》」の開《かい》発《はつ》を進《すす》めていきますが、一方《いっぽう》で、資源《しげん》をあまり使《つか》わずに造《つく》れる安上《やすあ》がりな兵《へい》器《き》も求《もと》めていました。

これは圧縮《あっしゅく》した空気《くうき》を細長《ほそなが》いパイプで勢《いきお》いよく空《そら》へ飛《と》ばすもので、**見《み》えない空気《くうき》の砲弾《ほうだん》を敵《てき》の飛行機《ひこうき》に当《あ》てて撃《う》ち落《お》とす兵器《へいき》です**。砲弾《ほうだん》は空気《くうき》なのでとってもエコ、しかも弾《たま》が相手《あいて》に見《み》えないということで成功《せいこう》が期待《きたい》されましたが、さすがに飛行機《ひこうき》を落《お》とすのはムリがあり、役《やく》に立《た》ちませんでした。

ざんねん度《ど》 😞😞

ダックフットピストル

開発《かいはつ》 イギリス アメリカ

年代《ねんだい》 18世紀《せいき》～19世紀《せいき》

一度《いちど》に4人倒《にんたお》せるけど、真正面《ましょうめん》には撃《う》てません

本末転倒《ほんまつてんとう》とは
まさにこのこと

プロフィール

■全長《ぜんちょう》……1m以内《いない》　■兵装《へいそう》……拳銃弾《けんじゅうだん》×4

〝下手《へた》な鉄砲《てっぽう》も数撃《かずう》ちゃ当《あ》たる〟ということわざがあります。下手《へた》くそな人《ひと》でもたくさん撃《う》ち続《つづ》ければ、たまには当《あ》たることもある、という意味《いみ》ですが、昔《むかし》のピストルにはそんな考《かんが》え方《かた》から生《う》まれたものがあります。それが〝ダックフットピストル〟*です。この銃《じゅう》には銃口《じゅうこう》が4つもあり、1回撃《かいう》つと4方向《ほうこう》に弾丸《だんがん》が飛《と》んでいくので、効率《こうりつ》よく敵《てき》を倒《たお》せます。

ですがこの銃《じゅう》、なんと真正面《ましょうめん》に弾《たま》が飛《と》びません。そのため、**真正面《ましょうめん》の敵《てき》に向《む》けて撃《う》っても当《あ》たらないという、なんともマヌケな銃《じゅう》だったのです。**

*"ダックフット"とは英語《えいご》で"アヒルの足《あし》"という意味《いみ》です。

風船爆弾《ふうせんばくだん》

爆弾《ばくだん》を積《つ》んだらあとは風《かぜ》まかせ

こんな見《み》た目《め》でも
ちゃんと戦果《せんか》は
出《で》てるんだ

開発《かいはつ》
日本《にほん》

年代《ねんだい》
1940年代《ねんだい》

プロフィール

- 全　長《ぜんちょう》……35m
- 飛行高度《ひこうこうど》……最大《さいだい》12,000m
- 爆弾搭載量《ばくだんとうさいりょう》……15kg
- 飛行時間《ひこうじかん》……70時間《じかん》

風船爆弾《ふうせんばくだん》は、太平洋戦争《たいへいようせんそう》で日本《にほん》がアメリカを攻撃《こうげき》するために開発《かいはつ》した兵器《へいき》です。

この兵器《へいき》は風船《ふうせん》（気球《ききゅう》）に爆弾《ばくだん》をくっつけたもので、発射《はっしゃ》されると風船《ふうせん》のように風《かぜ》に流《なが》れて太平洋《たいへいよう》を横断《おうだん》し、はるばるアメリカへ渡《わた》って爆発《ばくはつ》するというものでした。

実際《じっさい》にアメリカへたどり着《つ》けるかどうかは別《べつ》として、この兵器《へいき》は**日本《にほん》から直接《ちょくせつ》アメリカを攻撃《こうげき》できる唯一《ゆいいつ》の兵器《へいき》**として期待《きたい》され、大《たい》量《りょう》に生産《せいさん》されました。**風船《ふうせん》の材料《ざいりょう》に使《つか》うのはコンニャク糊《のり》と和紙《わし》だけ**で、安上《やすあ》がりですぐ造《つく》れるのも利点《りてん》でした。そのため多数《たすう》の女子《じょし》学生《がくせい》たちが製造《せいぞう》に携《たずさ》わりました。

この兵器《へいき》は終戦《しゅうせん》までに９０００発《ぱつ》が放《はな》たれ、強力《きょうりょく》な偏西風《へんせいふう》に乗《の》って１０００発《ぱつ》ほどがアメリカに届《とど》いたとされています。被害《ひがい》は山火事《やまかじ》を起《お》こした程度《ていど》ですが、アメリカは最後《さいご》まで風船爆弾《ふうせんばくだん》を警戒《けいかい》していたということです。レーダーにも映《うつ》らず、音《おと》もなく忍《しの》び寄《よ》るのは怖《こわ》かったのです。

クルムラウフ（曲射銃《きょくしゃじゅう》）

曲《ま》がり角《かど》の先《さき》にいる敵《てき》に当《あ》てたいんですが

開発《かいはつ》 ドイツ

年代《ねんだい》 1940年代《ねんだい》

これで
ちゃんと
撃《う》てるのかなぁ…

プロフィール

■原《げん》 型《けい》……StG44突撃銃《とつげきじゅう》 ■寿《じゅ》 命《みょう》……約《やく》150発《ぱつ》

世《よ》の中《なか》には、銃《じゅう》の先《さき》っちょが曲《ま》がった変《へん》な銃《じゅう》があります。ドイツのクルムラウフ（曲射銃《きょくしゃじゅう》）です。

この銃《じゅう》は、物陰《ものかげ》や曲《ま》がり角《かど》に隠《かく》れている敵《てき》の兵士《へいし》を安全《あんぜん》に撃《う》つために開発《かいはつ》されました。そこまではよかったのですが、いろいろと問題《もんだい》がありました。

まず銃《じゅう》の先《さき》っちょをムリやり曲《ま》げているせいで、**ちゃんと弾丸《だんがん》がまっすぐ飛《と》ばない**のです。なので、狙《ねら》った的《まと》にあまり弾《たま》が当《あ》たりません。そのうえとても壊《こわ》れやすく、**150発《ぱつ》ほど撃《う》つと銃《じゅう》が故障《こしょう》して、すぐ使《つか》いものにならなくなってしまう**のでした。

第《だい》2章《しょう》

ざんねんな移動兵器《いどうへいき》

モーター・スカウト

世界初《せかいはつ》の装甲車《そうこうしゃ》は自転車《じてんしゃ》でした

開発《かいはつ》 イギリス
年代《ねんだい》 1898年《ねん》

今《いま》では当《あ》たり前《まえ》のように走《はし》っている自転車《じてんしゃ》は、19世紀《せいき》のアメリカで実用化《じつようか》され世界《せかい》に広《ひろ》まっていきました。当時《とうじ》まだ目新《めあたら》しかった自《じ》転車《てんしゃ》、人々《ひとびと》は考《かんが》えます。「コレに武器《ぶき》を乗《の》せたら強《つよ》いのではないか」と。

こうして生《う》まれたのが、モーター・スカウトと呼《よ》ばれる世界初《せかいはつ》の装甲車《そうこうしゃ》です。この兵器《へいき》は1898年《ねん》、イギリスの発明家《はつめいか》フレデリック・シムズによって開発《かいはつ》されました。装甲車《そうこうしゃ》といっても現代《げんだい》のような兵器《へいき》とは違《ちが》い、四輪《よんりん》車《しゃ》に機関銃《きかんじゅう》を載《の》っけただけの安《やす》っぽいエンジンつき自転車《じてんしゃ》です。**サドルの前《まえ》に機関銃《きかんじゅう》が載《の》せてあり、敵《てき》に撃《う》たれても平気《へいき》なように最低《さいてい》限《げん》の板《いた》が置《お》いてありました。**こんな見《み》た目《め》ではありますが、第一次世界大戦以降《だいいちじせかいたいせんいこう》の兵器《へいき》の機械化《きかいか》へ大《おお》きく貢献《こうけん》したのです。

プロフィール

■全《ぜん》　長《ちょう》……約《やく》2m　■兵《へい》　装《そう》……7.7mm マキシム機関銃《きかんじゅう》 × 1
■走行距離《そうこうきょり》……193km　■搭載弾数《とうさいだんすう》……1,000発《ぱつ》

ウインドワゴン装甲車《そうこうしゃ》

砂漠《さばく》を走《はし》るのに砂《すな》に弱《よわ》くてどうするの

開発《かいはつ》 イギリス
年代《ねんだい》 1910年代《ねんだい》

第一次世界大戦《だいいちじせかいたいせん》では、アフリカの広大《こうだい》な砂漠《さばく》も戦場《せんじょう》となりました。**自動車先進国《じどうしゃせんしんこく》のイギリスは、他国《たこく》に先駆《さきが》けて装甲車《そうこうしゃ》を開発《かいはつ》していましたが、**当時《とうじ》の車《くるま》には砂地《すなじ》を走《はし》れるオフロードタイヤも強力《きょうりょく》なエンジンもないので、アフリカに送《おく》られた装甲車《そうこうしゃ》は砂漠《さばく》を走《はし》るのに苦労《くろう》していました。

これを解決《かいけつ》するためにイギリスは、**なんと普通《ふつう》のエンジンではなく飛行機《ひこうき》のプロペラエンジンを車体《しゃたい》に付《つ》け、風《かぜ》の力《ちから》で砂《すな》を吹《ふ》き飛《と》ばしながら進《すす》む装甲車《そうこうしゃ》を開発《かいはつ》しました。**こうし

プロフィール

■全《ぜん》　長《ちょう》……4.3m　■兵《へい》　装《そう》……7.7mm機関銃《きかんじゅう》×1
■高《たか》　さ……2m

て生《う》まれたのがウインドワゴン装甲車《そうこうしゃ》です。

ところが、この車《くるま》は見《み》て分《わ》かるように、肝心《かんじん》のプロペラエンジンが剝《む》き出《だ》しの状態《じょうたい》なので、エンジンに砂《すな》が入《はい》り込《こ》んだらすぐ故障《こしょう》してしまいます。なぜ誰《だれ》もエンジンにカバーを付《つ》けようとしなかったのかはわかりませんが、**完全《かんぜん》な失敗兵器《しっぱいへいき》**になってしまいました。

フロト・ラフリー

時間《じかん》がないからって武器《ぶき》がイラストじゃ……

開発《かいはつ》 フランス

年代《ねんだい》 1915年《ねん》

戦車《せんしゃ》の開発《かいはつ》は、第一次世界《だいいちじせかい》大戦《たいせん》で起《お》こった塹壕戦《ざんごうせん》からでした。強力《きょうりょく》な塹壕《ざんごう》を突破《とっぱ》するために、各国《かっこく》はこぞって戦車《せんしゃ》を開発《かいはつ》しようとします。フランスで開発《かいはつ》されたフロト・ラフリーは、そんな最初期《さいしょき》の戦《せん》車《しゃ》の1つです。

この戦車《せんしゃ》はとにかく壁《かべ》のように大《おお》きく細長《ほそなが》いのが特徴《とくちょう》で、計画《けいかく》では前《まえ》と後《うし》ろに機関銃《きかんじゅう》4

プロフィール

■全《ぜん》　長《ちょう》……7m

■最高速度《さいこうそくど》……3～5km/h

■高《たか》　さ……2.3m

■兵《へい》　装《そう》……機関銃《きかんじゅう》×4

門《もん》を搭載《とうさい》し、さらに左右《さゆう》それぞれに大砲《たいほう》2門《もん》、機関銃《きかんじゅう》6門《もん》を載《の》せたとても強《つよ》い戦車《せんしゃ》になるはずでした。

しかし、実《じつ》はこの戦車《せんしゃ》、あまりに開発《かいはつ》を急《いそ》いだので、武《ぶ》器《き》を載《の》せるのが間《ま》に合《あ》いませんでした。テスト走行《そうこう》でお披《ひ》露目《ろめ》されたフロト・ラフリーは、左右《さゆう》に載《の》せるはずだった大砲《たいほう》と機関銃《きかんじゅう》を、**実物《じつぶつ》に近《ちか》い“絵《え》”でごまかしてしまったのです**。なので、実際《じっさい》に載《の》っているのは車体前後《しゃたいぜんご》の機関銃《きかんじゅう》だけ。こんなだまし絵《え》みたいな戦車《せんしゃ》で性能《せいのう》も悪《わる》かったので、当然《とうぜん》、不採用《ふさいよう》となりました。

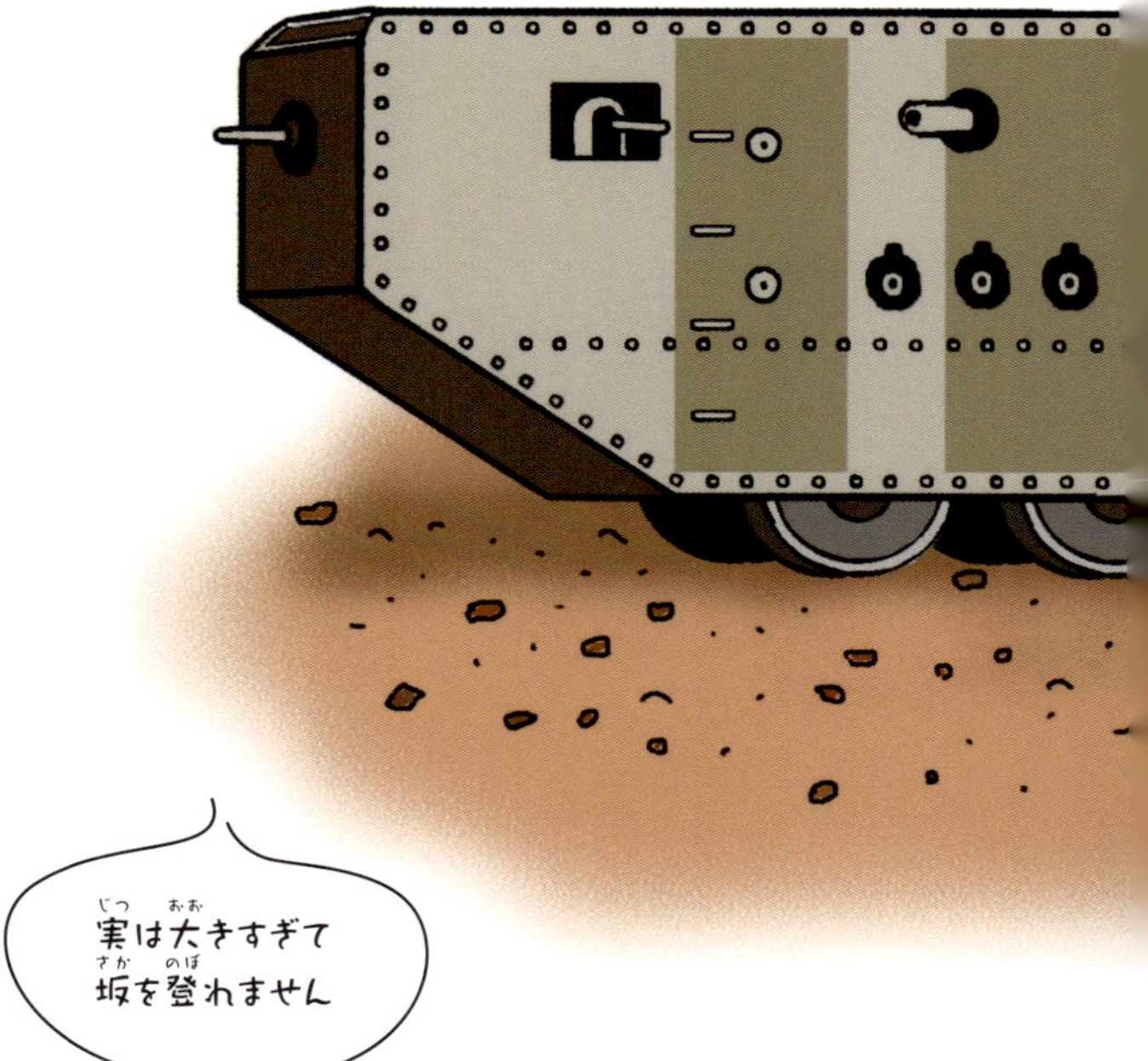
実《じつ》は大《おお》きすぎて
坂《さか》を登《のぼ》れません

ミドガルドシュランゲ

ドイツの妄想《もうそう》が生《う》み出《だ》した超絶《ちょうぜつ》ロ〜ング戦車《せんしゃ》

開発《かいはつ》　ドイツ

年代《ねんだい》　1930年代《ねんだい》

もし、**地上《ちじょう》・水中《すいちゅう》・地中《ちちゅう》をドリルで進《すす》む夢《ゆめ》のような戦車《せんしゃ》**があったら……。こんな妄想《もうそう》をドイツは大真面目《おおまじめ》に考《かんが》えたことがあります。

仮《かり》に地中《ちちゅう》をドリルで移動《いどう》する兵器《へいき》を実現《じつげん》するためには、ドリルの衝撃《しょうげき》に耐《た》えられるだけの強《つよ》さを持《も》った車体《しゃたい》が必要《ひつよう》ですが、ドイツはこの問題《もんだい》に対《たい》して、**27輛《りょう》もの戦車《せんしゃ》を縦《たて》1**

プロフィール

■全長《ぜんちょう》……524m　■乗員《じょういん》……30名《めい》

■速度《そくど》……地上《ちじょう》・水中《すいちゅう》30km/h　地中《ちちゅう》10km/h

列《れつ》につなげ、ヘビのように連《れん》結《けつ》することで解決《かいけつ》しようとしました。

この連結戦車《れんけつせんしゃ》は北欧神話《ほくおうしんわ》の大蛇《だいじゃ》ヨルムンガンドの別名《べつめい》から取《と》って「ミドガルドシュランゲ」と名付《なづ》けられ、試作車《しさくしゃ》まで造《つく》って実験《じっけん》を行《おこな》いました。もし完成《かんせい》していれば全長《ぜんちょう》524m、総重量《そうじゅうりょう》6万トンという恐《おそ》ろしいサイズの兵器《へいき》になるはずでしたが、さすがに無茶《むちゃ》が過《す》ぎたので、すぐ開発《かいはつ》中止《ちゅうし》となりました。

ドリルがあれば、
なんとでもなる?

80cm列車砲《れっしゃほう》

最大最強《さいだいさいきょう》の列車砲《れっしゃほう》は大《おお》きすぎてただの的《まと》

開発《かいはつ》　ドイツ

年代《ねんだい》　1940年代《ねんだい》

かつての戦争《せんそう》では、列車砲《れっしゃほう》という兵器《へいき》が存《そん》在《ざい》していました。**巨大《きょだい》な大砲《たいほう》を列車《れっしゃ》に搭載《とうさい》して、戦場《せんじょう》までレールを敷《し》いて運《はこ》び、敵《てき》の拠点《きょてん》を攻撃《こうげき》する兵器《へいき》**です。

なかでも世界最大《せかいさいだい》の列車砲《れっしゃほう》を完成《かんせい》させたのはドイツで、口径《こうけい》80cm（おとなが這《は》って移動《いどう》できるほどの大《おお》きな穴《あな》です）におよぶ列車砲《れっしゃほう》を2機完成《きかんせい》させました。

この巨大兵器《きょだいへいき》を動《うご》かすのに必要《ひつよう》なレールは4本《ほん》、乗員《じょういん》は最低《さいてい》1400名《めい》で、あまりに砲《ほう》弾《だん》が重《おも》いので1時間《じかん》に2、3発《ぱつ》しか撃《う》つことができません。しかしその威力《いりょく》は絶大《ぜつだい》で、要《よう》塞《さい》をまるごと吹《ふ》き飛《と》ばせるケタ違《ちが》いの破壊力《はかいりょく》を持《も》っていました。

しかし、列車砲《れっしゃほう》に共通《きょうつう》する特徴《とくちょう》として空《そら》からの攻撃《こうげき》に弱《よわ》く、特《とく》に図体《ずうたい》のでかい80cm列車《れっしゃ》砲《ほう》は航空機《こうくうき》に襲《おそ》われたらひとたまりもありませんでした。そのためこの兵器《へいき》は使《つか》うタイミングがほとんどなく、活躍《かつやく》できないまま終《お》わってしまいました。

ボクを動《うご》かすのに
いったい何人《なんにん》
必要《ひつよう》なんだろう?

プロフィール

■全《ぜん》　長《ちょう》……47.3m ■兵《へい》　装《そう》……80cm列車砲《れっしゃほう》×1
■全《ぜん》　高《こう》……11.6m ■人《じん》　員《いん》……4,000名以上《めいいじょう》（乗員《じょういん》を含《ふく》む）

パンジャンドラム

味方《みかた》にも突《つ》っ込《こ》む制御不能《せいぎょふのう》な爆弾大車輪《ばくだんだいしゃりん》

開発《かいはつ》 イギリス

年代《ねんだい》 1940年代《ねんだい》

パンジャンドラムは、**イギリスが開発《かいはつ》した走《はし》る爆弾《ばくだん》**です。

敵《てき》のトーチカに突《つ》っ込《こ》ませて爆破《ばくは》する使《つか》い捨《す》て兵器《へいき》でしたが、完成《かんせい》したのは爆薬《ばくやく》を詰《つ》めた本体《ほんたい》を巨大《きょだい》な車輪《しゃりん》で挟《はさ》んだだけのシロモノ。車輪《しゃりん》についたロケットモーターの力《ちから》で車輪《しゃりん》を回《まわ》して前進《ぜんしん》するようになっていました。

さて実験《じっけん》してみると、ロケットの力《ちから》がバラバラでうまく前進《ぜんしん》できずに横転《おうてん》したり、それどころか**急《きゅう》に向《む》きを変《か》えて味方《みかた》のいるところに突《つ》っ込《こ》んだりといったためちゃくちゃな動《うご》きをしたため、不採用《ふさいよう》となりました**。この見《み》た目《め》とインパクトから、今日《こんにち》では**珍兵器《ちんへいき》の王様《おうさま》**としてよく知《し》られています。

ロケットは車輪《しゃりん》を
動《うご》かすために
使《つか》います

プロフィール

■直《ちょっ》　径《けい》……3m
■時《じ》　速《そく》……100km/h（計画《けいかく》）
■爆薬搭載量《ばくやくとうさいりょう》……1.8トン

ざんねん度《ど》

ゴリアテ

ケーブルを切《き》られたら終《お》わるリモコン爆弾《ばくだん》

開発《かいはつ》
ドイツ

年代《ねんだい》
1944年《ねん》

ゴリアテは、第二次世界大戦中《だいにじせかいたいせんちゅう》にドイツが**開発《かいはつ》したリモコン爆弾《ばくだん》**です。兵士《へいし》が離《はな》れたところからリモコンでこの兵器《へいき》を操作《そうさ》して、敵《てき》のトーチカや戦車《せんしゃ》に突《つ》っ込《こ》ませて爆破《ばくは》するという戦法《せんぽう》でした。

しかし、この兵器《へいき》はリモコンと本体《ほんたい》の間《あいだ》にケーブルがついているため、敵《てき》にケーブルを切《き》られただけで動《うご》けなくなる弱点《じゃくてん》がありました。また本体《ほんたい》そのものが衝撃《しょうげき》に弱《よわ》かったため、戦場《せんじょう》のど真《ま》ん中《なか》で故障《こしょう》して使《つか》いものにならなくなったこともしばしばありました。**発想自体《はっそうじたい》はよかったものの、技術力《ぎじゅつりょく》の問題《もんだい》から失敗作《しっぱいさく》**になってしまったタイプの兵器《へいき》として有名《ゆうめい》です。

プロフィール　※ゴリアテV型《がた》の数値《すうち》

- 全長《ぜんちょう》……1.6m
- 走行距離《そうこうきょり》……6〜12km
- 最高速度《さいこうそくど》……11.5km/h
- 最大積載量《さいだいせきさいりょう》……100kg

要塞破壊兵器《ようさいはかいへいき》オーボエ

街《まち》をつぶしまわる 超巨大《ちょうきょだい》ラグビーボール

こんな兵器《へいき》があったら、たまったもんじゃないね！

プロフィール

■全長《ぜんちょう》……600m
■乗員《じょういん》……数百名《すうひゃくめい》
■最高速度《さいこうそくど》……500km/h

開発《かいはつ》 ロシア帝国《ていこく》
年代《ねんだい》 1910年代《ねんだい》

世界《せかい》に最強《さいきょう》の兵器《へいき》があったとしたら、それは何《なん》でしょうか。人々《ひとびと》はその答《こた》えを出《だ》すためにさまざまな兵器《へいき》を考《かんが》えてきました。なかでも風変《ふうが》わりなものが、ロシアが第一次世界大戦中《だいいちじせかいたいせんちゅう》に妄想《もうそう》した、要塞破壊兵器《ようさいはかいへいき》オーボエです。

それは、**全長《ぜんちょう》600m、最高速度《さいこうそくど》500km/hの球体《きゅうたい》ですべてを押《お》しつぶすというトンデモ兵器《へいき》**でした。つまり、東京《とうきょう》スカイツリーとほぼ同《おな》じサイズの超巨大《ちょうきょだい》ラグビーボールが、リニアモーターカー並《なみ》のスピードで転《ころ》がってくるというもので、あまりにムチャクチャすぎてすぐに計画中止《けいかくちゅうし》となりました。

第《だい》3章《しょう》

ざんねんな陸《りく》の兵器《へいき》

超重戦車《ちょうじゅうせんしゃ》マウス

史上最強《しじょうさいきょう》の戦車《せんしゃ》は重《おも》すぎて道路《どうろ》も壊《こわ》す

開発《かいはつ》 ドイツ

年代《ねんだい》 1944年《ねん》

相手《あいて》の戦車《せんしゃ》より強《つよ》い戦車《せんしゃ》を造《つく》れば、戦争《せんそう》で有利《ゆうり》になれる。この発想《はっそう》を限界《げんかい》まで追《お》い求《もと》めたドイツは、第二次世界大戦中《だいにじせかいたいせんちゅう》に世界最大《せかいさいだい》の戦車《せんしゃ》を造《つく》りました。それがマウスです。

マウスの主砲《しゅほう》は128mm砲《ほう》で、装甲《そうこう》は最大《さいだい》240mmもあります。当時《とうじ》も今《いま》も、これほどの攻撃力《こうげきりょく》と防御力《ぼうぎょりょく》が合《あ》わさった戦車《せんしゃ》は他《ほか》になく、**この戦車《せんしゃ》を倒《たお》せる戦車《せんしゃ》は当時存在《とうじそんざい》しませんでした。**

しかし、マウスはこの恐《おそ》ろしい強《つよ》さを手《て》に入《い》れた分《ぶん》、重《おも》さもまたひどいことになりました。なんと重量《じゅうりょう》188トン（普通自動車《ふつうじどうしゃ》の約《やく》188台分《だいぶん》の重《おも》さ）。

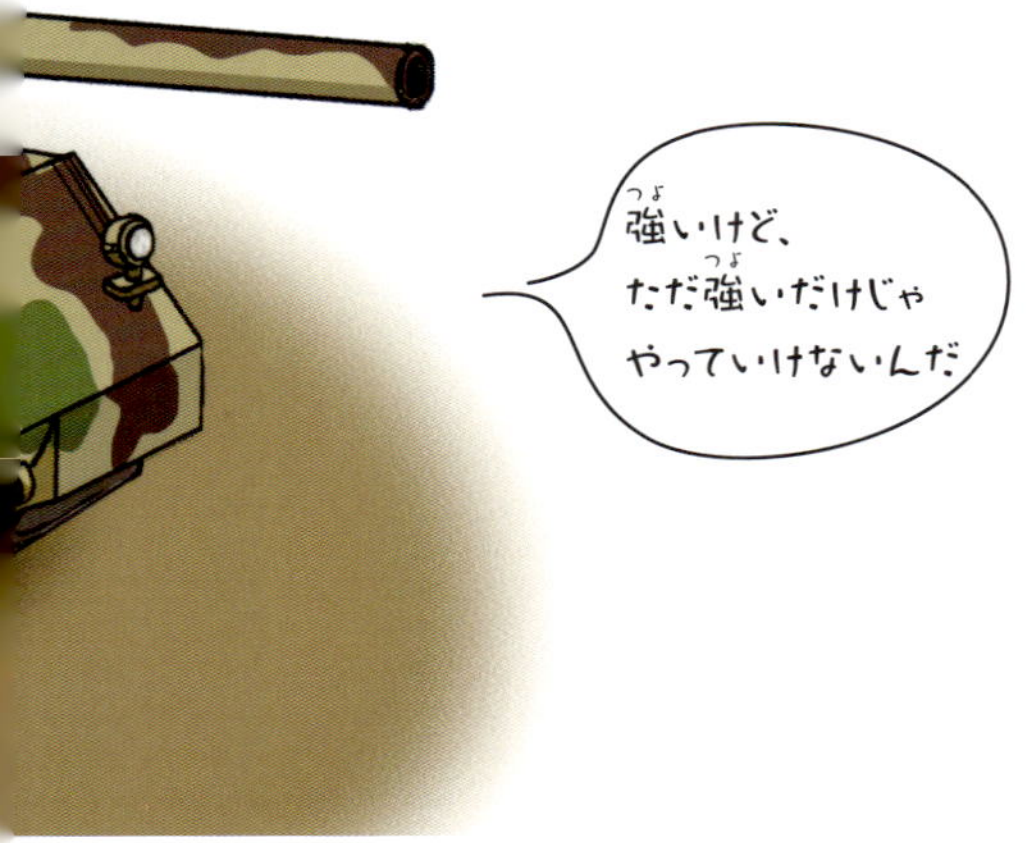
強《つよ》いけど、
ただ強《つよ》いだけじゃ
やっていけないんだ

こんな戦車《せんしゃ》が本当《ほんとう》に走《はし》ったら、あまりに重《おも》すぎて道路《どうろ》を破壊《はかい》してしまうほか、**最悪《さいあく》の場合《ばあい》、自分《じぶん》の重《おも》さで地面《じめん》に沈《しず》み込《こ》んでしまう可能性《かのうせい》があった**ので、最終的《さいしゅうてき》には試作車《しさくしゃ》が2輌《りょう》できあがっただけで終《お》わりました。

なお、〝マウス〟といえばネズミのことですが、これはこの戦車《せんしゃ》の強《つよ》さが敵《てき》にバレないよう、わざと小《ちい》さい動物《どうぶつ》の名前《なまえ》をつけることで、たいしたことのない戦車《せんしゃ》だと思《おも》わせるためだったという説《せつ》があります。

プロフィール

■全《ぜん》　長《ちょう》……10.1m　■最大装甲《さいだいそうこう》……240mm

■重《おも》　さ……188トン　■兵《へい》　装《そう》……128mm戦車砲《せんしゃほう》×1、75mm戦車砲《せんしゃほう》×1

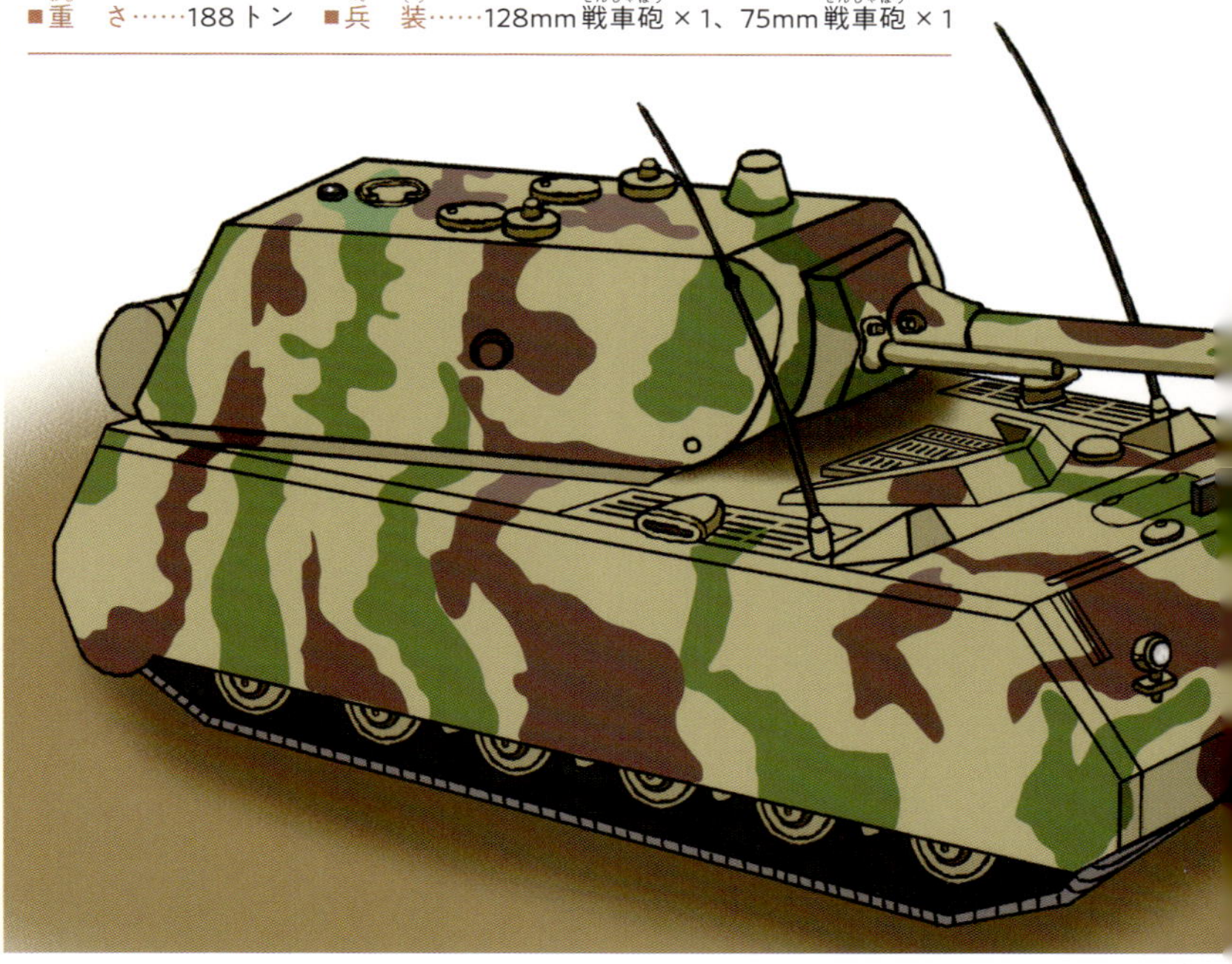

AMX 40

さすがフランス！ 戦車《せんしゃ》もデザイン重視《じゅうし》？

開発《かいはつ》 フランス
年代《ねんだい》 1940年《ねん》

AMX 40は、フランスが第二次世界大戦《だいにじせかいたいせん》の直前《ちょくぜん》に計画《けいかく》していた戦車《せんしゃ》です。

戦車《せんしゃ》の防御力《ぼうぎょりょく》を上《あ》げる方法《ほうほう》として、車体《しゃたい》の形《かたち》を丸《まる》くするというものがあります。敵《てき》の砲《ほう》弾《だん》が命中《めいちゅう》しても、それを丸《まる》みのあるボディで弾《はじ》くことで、簡単《かんたん》にやられないようにしているのです。

これを重視《じゅうし》したフランスは、車体《しゃたい》も砲塔《ほうとう》も、すべて丸《まる》みを帯《お》びた戦車《せんしゃ》を造《つく》れば強《つよ》いと考《かんが》えました。こうして計画《けいかく》されたのが、AMX 40です。

もともとの発想《はっそう》はよかったのですが、実際《じっさい》に設計《せっけい》してみると、**まるでアヒルにそっくりなヘンテコ戦車《せんしゃ》**になってしまいました。

フランスはこの戦車《せんしゃ》を量産《りょうさん》しようとしますが、第二次世界大戦《だいにじせかいたいせん》で早々《そうそう》にドイツに降伏《こうふく》してしまったので、ついに造《つく》られることはありませんでした。

プロフィール

■全《ぜん》　長《ちょう》……5.33m　■最大装甲《さいだいそうこう》……60mm
■重《おも》　さ……18トン　■兵《へい》　装《そう》……47mm砲《ほう》×1、7.5mm機銃《きじゅう》×2

プレイング・マンティス

乗員《じょういん》が酔《よ》うから使《つか》い物《もの》になりません……

開発《かいはつ》 イギリス
年代《ねんだい》 1944年《ねん》

物《もの》を遠《とお》くに飛《と》ばすとき、高《たか》いところから飛《と》ばすほど、より遠《とお》くに届《とど》きます。戦車《せんしゃ》もこれと同《おな》じで、なるべく高《たか》い場所《ばしょ》から遠《とお》くへ弾《たま》を飛《と》ばすほうが有利《ゆうり》です。

とはいえ、戦車《せんしゃ》の高《たか》さを上《あ》げてしまうと、そのぶん敵《てき》に目立《めだ》ってしまいます。そこでイギリスは、普段《ふだん》は低《ひく》い姿勢《しせい》を保《たも》ち、ここぞというときに車体《しゃたい》を高《たか》く上《あ》げて攻撃《こうげき》できる戦車《せんしゃ》を造《つく》りました。

〝プレイング・マンティス〟とは〝祈《いの》るカマキリ〟の意味《いみ》です。この戦車《せんしゃ》は車体《しゃたい》を最大《さいだい》8・6mまで持《も》ち上《あ》げることができますが、その姿《すがた》がカマキリにそっくりなので、こんな名前《なまえ》になりました。**この車体《しゃたい》の先《さき》に、機関銃《きかんじゅう》を撃《う》つ人《ひと》がうつ伏《ぶ》せで乗《の》り込《こ》みます**。そうして敵《てき》を攻撃《こうげき》するのですが、なにせ慣《な》れない姿勢《しせい》でガタガタと不安定《ふあんてい》なので、**乗員《じょういん》は船酔《ふなよ》いならぬ〝戦車酔《せんしゃよ》い〟をしてしまったそうです**。結《けっ》局兵器《きょくへいき》としてはまったくつかいものにならず、開発中止《かいはつちゅうし》となりました。

プロフィール

■全《ぜん》　長《ちょう》……4.5m　■最高速度《さいこうそくど》……48km/h
■高《たか》　さ……1.2m～8.6m　■兵《へい》　装《そう》……7.7mm機関銃《きかんじゅう》×2

スケルトン・タンク

ダイエットしすぎて骨組《ほねぐ》みだけに

第一次世界大戦《だいいちじせかいたいせん》で初登場《はつとうじょう》した戦車《せんしゃ》は、塹壕《ざんごう》を越《こ》えるためにどうしても車体《しゃたい》が長《なが》くなり、戦車《せんしゃ》が重《おも》くなってしまう問題《もんだい》を抱《かか》えていました。アメリカはこれを踏《ふ》まえ、マークⅠ戦車《せんしゃ》をとことん軽《かる》くして、動《うご》きやすくしたものを開発《かいはつ》することにしました。

とはいえ、戦車《せんしゃ》を軽《かる》くするためには武器《ぶき》や装甲《そうこう》を取《と》り払《はら》わなければいけません。いわば**ダイエット**です。

こうして限界《げんかい》まで重量《じゅうりょう》を軽《かる》くしていった結《けっ》果《か》、車体《しゃたい》はついに操縦室《そうじゅうしつ》・砲塔《ほうとう》・エンジンを残《のこ》して骨組《ほねぐ》みだけになり、その周《まわ》りをキャタピラが覆《おお》うだけの**スカスカな戦車《せんしゃ》**ができあがってしまいました。

このスケルトン・タンク、実《じつ》はマークⅠ戦《せん》車《しゃ》と比《くら》べて4分《ぶん》の1まで重量《じゅうりょう》を減《へ》らすことに成功《せいこう》し、性能《せいのう》も悪《わる》くありませんでした。しかし、この戦車《せんしゃ》が完成《かんせい》した頃《ころ》には第一次世界大《だいいちじせかいたい》戦《せん》が終《お》わってしまったため、使《つか》い道《みち》がなくなってしまったのでした。

開発《かいはつ》
アメリカ

年代《ねんだい》
1918年《ねん》

プロフィール

■全《ぜん》　長《ちょう》……7.62m　■最高速度《さいこうそくど》……8km/h
■重《おも》　さ……7.26トン　■兵《へい》　装《そう》……37mm砲《ほう》（または機関銃《きかんじゅう》）

TV-1

怖《こわ》くて攻撃《こうげき》できない……原子炉《げんしろ》搭載《とうさい》の戦車《せんしゃ》

開発《かいはつ》 アメリカ

年代《ねんだい》 1950年代《ねんだい》

TV-1は、アメリカが1950年代《ねんだい》に計画《けいかく》した世《よ》にも恐《おそ》ろしい戦車《せんしゃ》です。

この戦車《せんしゃ》をよく見《み》ると、ちょうどおなかの部分《ぶぶん》が大《おお》きく膨《ふく》らんでいることにお気《き》づきでしょうか。実《じつ》はこれ、なかに原子炉《げんしろ》が搭載《とうさい》されているのです。つまり、なんと原子力発電所《げんしりょくはつでんしょ》と同《おな》じエンジンを持《も》っていて、核《かく》のエネルギーを使《つか》って走《はし》る戦車《せんしゃ》だっ

おなかの
ふくらみが
チャーミングでしょ？

プロフィール

■全《ぜん》　長《ちょう》……7.53m	■最大装甲《さいだいそうこう》……120mm
■高《たか》　さ……3.4m	■兵《へい》　装《そう》……90mm砲《ほう》×1

たのです。

そのため、**この戦車《せんしゃ》が走《はし》れる時間《じかん》はなんと500時間以上《じかんいじょう》。**ノンストップでアメリカ大陸《たいりく》を横断《おうだん》できるほどのすさまじいパワーがありました。

まさに夢《ゆめ》の戦車《せんしゃ》でしたが、1つだけ問題《もんだい》がありました。その原子炉《げんしろ》は、操縦席《そうじゅうせき》の前《まえ》にそのまま搭載《とうさい》されています。なので、攻撃《こうげき》されると原子炉《げんしろ》も破壊《はかい》されるという恐《おそ》ろしい欠陥《けっかん》を抱《かか》えていたのです。

この問題《もんだい》があまりにも致命的《ちめいてき》だったので、開発《かいはつ》は中止《ちゅうし》されました。

TV‐8

砲塔命《ほうとういのち》！　車体《しゃたい》は使《つか》い捨《す》てのいびつな戦車《せんしゃ》

開発《かいはつ》　アメリカ

年代《ねんだい》　1950年代《ねんだい》

戦車《せんしゃ》のなかには、**水《みず》に浮《う》いて川《かわ》を渡《わた》れるようにした水陸両用戦車《すいりくりょうようせんしゃ》**があります。TV‐8はそんな戦車《せんしゃ》のうちの1つです。

この戦車《せんしゃ》の特徴《とくちょう》は、走《はし》ること以外《いがい》の全《ぜん》機能《きのう》を砲塔《ほうとう》に詰《つ》め込《こ》んでいることです。乗員《じょういん》、主砲《しゅほう》、エンジンまで、戦車《せんしゃ》に必要《ひつよう》なすべての機能《きのう》を砲塔《ほうとう》に押《お》し込《こ》むことで、水《みず》に浮《う》くようにしたのです。そのため、砲塔《ほうとう》は普通《ふつう》の戦車《せんしゃ》より異常《いじょう》に大《おお》きく、長《なが》くなってしまいました。

砲塔《ほうとう》が大《おお》きなぶん、車体《しゃたい》はとても貧弱《ひんじゃく》

です。キャタピラしかついてないこの車体《しゃたい》は、必要《ひつよう》に応《おう》じて切《き》り離《はな》すことができました。つまり、この**戦車《せんしゃ》の車体《しゃたい》は使《つか》い捨《す》てなのです。**おまけに、エンジンはTV-1戦《せん》車《しゃ》と同《おな》じく、原子炉《げんしろ》にする予定《よてい》もありましたが、兵器《へいき》としては使《つか》い道《みち》がなかったので、開発中《かいはつちゅう》止《し》となりました。

プロフィール

- 全《ぜん》長《ちょう》……8.9m
- 重《おも》さ……25トン
- 高《たか》さ……2.9m
- 兵《へい》装《そう》……90mm砲《ほう》×1

ダ・ヴィンチの円形戦車《えんけいせんしゃ》

大砲《たいほう》はたくさんあっても前《まえ》へ進《すす》めない

開発《かいはつ》 イタリア

年代《ねんだい》 1500年代《ねんだい》

レオナルド・ダ・ヴィンチ

アイデアスケッチに
残《のこ》された
ふしぎ戦車《せんしゃ》だ

名画《めいが》「モナ・リザ」

プロフィール

■分《ぶん》　類《るい》……装甲車《そうこうしゃ》　■兵《へい》　装《そう》……不明《ふめい》

■全《ぜん》　長《ちょう》……不明《ふめい》

イタリアを代表《だいひょう》する**天才画家《てんさいがか》レオナルド・ダ・ヴィンチは、発明家《はつめいか》としてもかずかずの兵器案《へいきあん》を残《のこ》していますが、その1つに戦車《せんしゃ》があります**。彼《かれ》が考《かんが》えた戦車《せんしゃ》はUFOのような丸《まる》い形《かたち》をしており、円《えん》の周囲《しゅうい》に大砲《たいほう》をズラリと並《なら》べたスゴイものです。車体《しゃたい》は金属《きんぞく》カバーで覆《おお》われて敵《てき》の攻撃《こうげき》を通《とお》さず、上部《じょうぶ》には見張《みは》り台《だい》までついています。

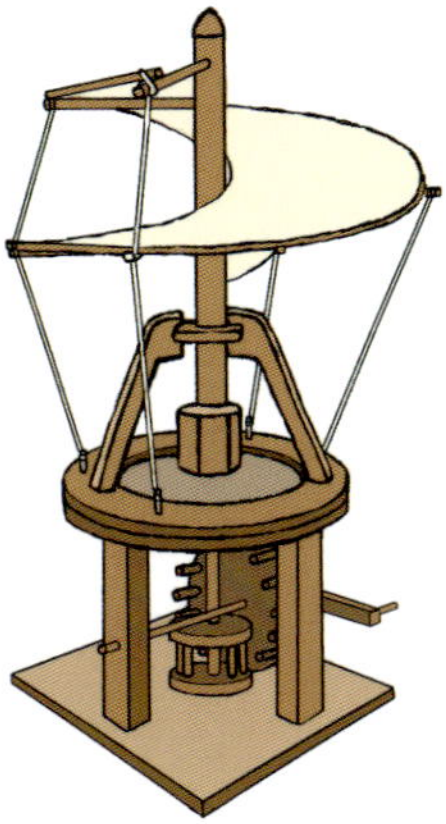

ヘリコプターの原理《げんり》

しかし、実《じつ》は重大《じゅうだい》な欠陥《けっかん》がありました。この戦車《せんしゃ》は4つの車輪《しゃりん》を持《も》っていますが、**当時《とうじ》はまだ電気《でんき》、エンジンすら開発《かいはつ》されていないので、8人《にん》の男《おとこ》が人力《じんりき》で車輪《しゃりん》を回《まわ》す必要《ひつよう》がありました。**

さらに、設計《せっけい》にも致命的《ちめいてき》なミスがありました。実際《じっさい》に完成《かんせい》すると前進《ぜんしん》せず、後《うし》ろ向《む》きに走《はし》ってしまう仕組《しく》みになっていたのです。

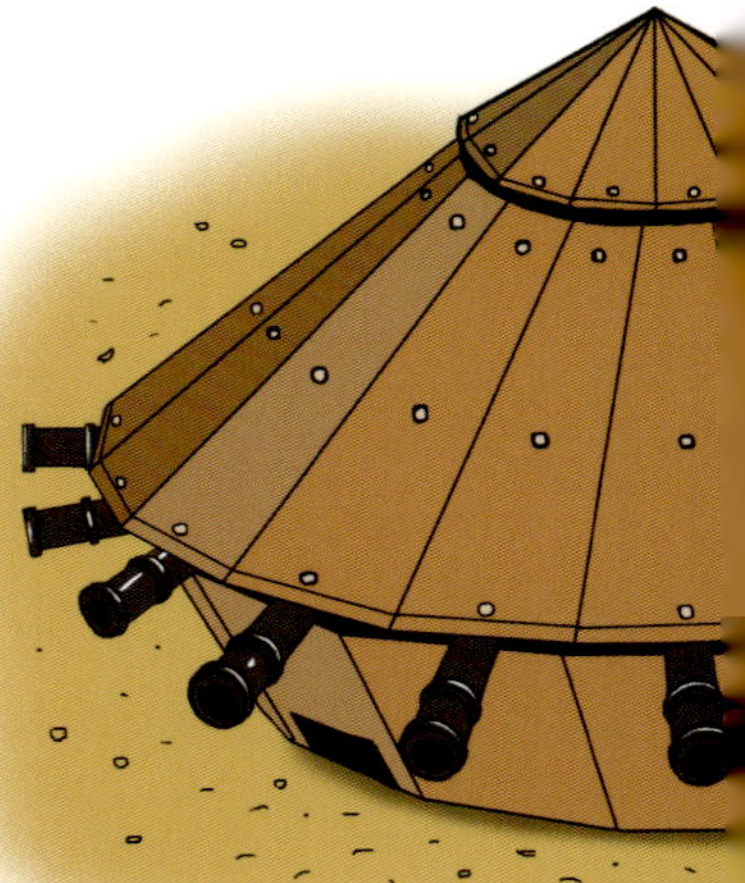

ルイ・ボワリョーの戦車《せんしゃ》

開発《かいはつ》 フランス

年代《ねんだい》 1910年代《ねんだい》

超初期《ちょうしょき》の「戦車《せんしゃ》」はキャタピラの化《ば》け物《もの》

戦車《せんしゃ》が誕生《たんじょう》したのは第一次世界大戦《だいいちじせかいたいせん》のことでしたが、その「生《う》みの親《おや》」のひとりであるフランスのエンジニア、ルイ・ボワリョー博士《はかせ》のアイデアには本当《ほんとう》にビックリします。

「車体《しゃたい》のまわりに大《おお》きな鉄《てつ》の枠《わく》を付《つ》けてガタゴト回転《かいてん》させ、建物《たてもの》や敵《てき》の陣地《じんち》を押《お》しつぶしていけばいいのではないか」

ボワリョー博士《はかせ》はそう考《かんが》えました。これぞ、史上初《しじょうはじ》めての発想《はっそう》です。

でも、できあがった「戦車《せんしゃ》のような兵《へい》

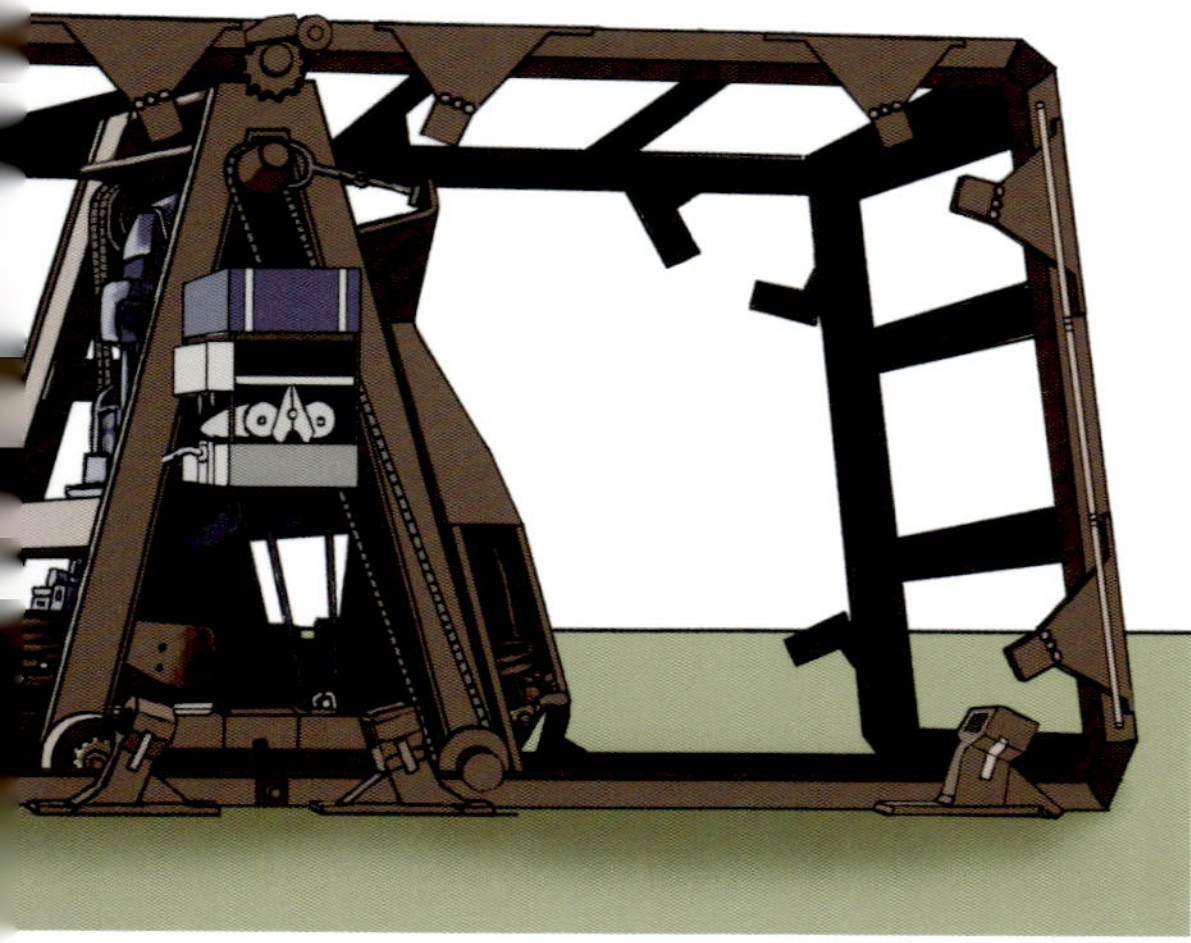

器《き》」は、とんでもないシロモノだったのです。

それは、中央《ちゅうおう》の車両《しゃりょう》に操縦席《そうじゅうせき》とエンジンがあり、端《はし》に付《つ》いている滑車《かっしゃ》を回《まわ》して、巨大《きょだい》な鉄枠《てつわく》をキャタピラのようにして進《すす》む仕組《しく》みでした。ただし、大《おお》きいために動《うご》きが遅《おそ》く、そのスピードはたったの時速《じそく》3キロ（人《ひと》が歩《ある》くよりも遅《おそ》い）で、しかも曲《ま》がれません。博士《はかせ》は2号車《ごうしゃ》まで造《つく》りましたが、こちらは時速《じそく》1キロとさらに遅《おそ》く、結局《けっきょく》は1号車《ごうしゃ》も含《ふく》めてすべて不採用《ふさいよう》となりました。

アイデアは面白《おもしろ》いのですが、実現《じつげん》させるには難《むずか》しすぎた不運《ふうん》の「戦《せん》車《しゃ》」です。

アイデア自体《じたい》は
とても
良《よ》かったんだけど…

プロフィール

■全《ぜん》　長《ちょう》……8m　■最高速度《さいこうそくど》……3km/h
■高《たか》　さ……4m　■兵《へい》　装《そう》……なし

アーチャー対《たい》戦《せん》車《しゃ》自《じ》走《そう》砲《ほう》

開発《かいはつ》 イギリス

年代《ねんだい》 1943年

後《うし》ろに前進《ぜんしん》するややこしいクルマ

アーチャー対《たい》戦車自走砲《せんしゃじそうほう》は、イギリスが第二《だいに》次世界大戦中《じせかいたいせんちゅう》に開発《かいはつ》した戦車《せんしゃ》の一種《いっしゅ》です。

この戦車《せんしゃ》は、当時《とうじ》イギリスで最《もっと》も戦車《せんしゃ》に強《つよ》かった17ポンド砲《ほう》を積《つ》んでいま

プロフィール

■全《ぜん》　長《ちょう》……6.7m　■高《たか》　さ……2.25m　■最高速度《さいこうそくど》……32km/h
■兵《へい》　装《そう》……76.2mm 17ポンド砲《ほう》、ブレン7.7mm機関銃《きかんじゅう》×1

す。車体《しゃたい》はバレンタイン歩兵戦車《ほへいせんしゃ》という小型戦車《こがたせんしゃ》のものを使《つか》っていますが、**小《ちい》さな車体《しゃたい》にこんな大《おお》きな主砲《しゅほう》は入《はい》らなかったので、無理《むり》やり後《うし》ろ向《む》きに載《の》せてしまいました。**

その結果《けっか》、この戦車《せんしゃ》は前《まえ》と後《うし》ろが反《はん》対《たい》になってしまい、前進《ぜんしん》のつもりで後《こう》退《たい》するというとてもややこしい構造《こうぞう》になってしまったのです。

ただし、実戦《じっせん》では小柄《こがら》で見《み》つかりにくいことを活《い》かし、待《ま》ち伏《ぶ》せ射撃《しゃげき》を行《おこな》ってある程度《ていど》活躍《かつやく》することができました。

A-40 アントノフ

運《はこ》ぶの大変《たいへん》だから戦車《せんしゃ》に翼《つばさ》をつけてみた

開発《かいはつ》
ソ連《れん》

年代《ねんだい》
1940年代《ねんだい》

戦車《せんしゃ》の種類《しゅるい》の1つに〝空挺戦車《くうていせんしゃ》〟というものがあります。専用《せんよう》の輸送機《ゆそうき》に乗《の》せて空《そら》から運《はこ》び、着陸《ちゃくりく》したらそのまま戦闘《せんとう》を行《おこな》える戦車《せんしゃ》のことです。しかし、ソ連《れん》はわざわざ手間《てま》をかけて輸送機《ゆそうき》を使《つか》うより、**戦車《せんしゃ》そのものを飛《ひ》行機《こうき》にしてしまえばよい**と考《かんが》えました。

そんなソ連《れん》が開発《かいはつ》したのが、A-40アントノフ。T-60軽戦車《けいせんしゃ》に大《おお》きな主翼《しゅよく》と尾翼《びよく》を付《つ》け、無理《むり》やりグライダーにしてしまった珍兵器《ちんへいき》です。この戦車《せんしゃ》は大型《おおがた》の飛行機《ひこうき》に引《ひ》っ張《ぱ》ってもらいながら戦場《せんじょう》へ運《はこ》ばれ、着陸《ちゃくりく》した後《あと》はグライダー部分《ぶぶん》を切《き》り離《はな》してスムーズに戦闘《せんとう》を行《おこな》う予定《よてい》でした。

ところが、いくら軽《かる》いといっても元《もと》は戦車《せんしゃ》。**さすがに戦車自体《せんしゃじたい》を空《そら》に飛《と》ばすのは無理《むり》があった**ようで、テスト飛行《ひこう》1回《かい》で計画《けいかく》は中止《ちゅうし》されました。

プロフィール

■全《ぜん》 長《ちょう》……12m ■重《おも》 さ……7.8トン
■全《ぜん》 幅《ぷく》……18m ■兵《へい》 装《そう》……20mm戦車砲《せんしゃほう》、DT 7.62mm機関銃《きかんじゅう》

P.1000ラーテ

イメージだけは世界《せかい》でいちばん強《つよ》い戦車《せんしゃ》

戦車《せんしゃ》というより、もはや動《うご》く城《しろ》だね

プロフィール

■全《ぜん》長《ちょう》……35m　■重《おも》さ……1,000トン
■高《たか》さ……11m　■兵《へい》装《そう》……280mm砲《ほう》×2、128mm砲《ほう》×1

開発《かいはつ》　ドイツ
年代《ねんだい》　1940年代《ねんだい》

第二次世界大戦中《だいにじせかいたいせんちゅう》にドイツが開発《かいはつ》した超重戦車《ちょうじゅうせんしゃ》マウスは、（実用化《じつようか》されていれば）世界最大《せかいさいだい》、最強《さいきょう》の戦車《せんしゃ》でした。

しかし、そのマウスよりも強《つよ》い戦車《せんしゃ》があったらどうでしょう。地上《ちじょう》のあらゆる戦車《せんしゃ》を超《こ》える戦車《せんしゃ》としてドイツが計画《けいかく》したのが、P.1000ラーテです。

この戦車《せんしゃ》は戦艦《せんかん》の主砲《しゅほう》をそのまま搭載《とうさい》し、戦車《せんしゃ》の砲弾《ほうだん》どころかあらゆる攻撃《こうげき》をはねのける**無敵《むてき》の戦車《せんしゃ》**になる予定《よてい》でした。重量《じゅうりょう》は1000トンと見積《みつ》もられましたが、マウスですら自重《じじゅう》に耐《た》えられなかったのにラーテが耐《た》えられるわけがなく、計画中止《けいかくちゅうし》となりました。

ざんねん度《ど》 ☹ ☹ ☹

P．1500モンスター

この地上最強《ちじょうさいきょう》ぶりはもはや妄想《もうそう》レベルです

何《なに》から何《なに》まで
ビッグな
モンスター戦車《せんしゃ》さ！

プロフィール

■全《ぜん》　長《ちょう》……42m　■重《おも》　さ……1,500トン
■高《たか》　さ……7m　■兵《へい》　装《そう》……80cm砲《ほう》×1

開発《かいはつ》 ドイツ
年代《ねんだい》 1940年代《ねんだい》

ラーテより強《つよ》い、究極《きゅうきょく》の超重戦車《ちょうじゅうせんしゃ》。それが、P．1500モンスターです。

この戦車《せんしゃ》は、第二次世界大戦中《だいにじせかいたいせんちゅう》にドイツが考《かんが》えた超重戦車《ちょうじゅうせんしゃ》のなかで最《もっと》も大《おお》きく、最《もっと》も実現不可能《じつげんふかのう》な戦車《せんしゃ》でした。この戦車《せんしゃ》の主砲《しゅほう》はなんと、あの80cm列車砲《れっしゃほう》に使《つか》われた超巨大砲《ちょうきょだいほう》です。つまり、80cm列車砲《れっしゃほう》を戦車《せんしゃ》にしてしまおうと考《かんが》えたわけです。

その重《おも》さはラーテを超《こ》えて1，500トン（普通《ふつう》の乗用車《じょうようしゃ》1500台《だい》分《ぶん》）に達《たっ》しており、こんなむちゃくちゃな妄想《もうそう》が通《とお》るはずもなく、すぐ計画《けいかく》中止《ちゅうし》となりました。

ボブ・センプル

トラクターに薄《うす》い鋼板《こうはん》を貼《は》り付《つ》けてみました

こんな戦車《せんしゃ》でも、
ないよりはマシってね

開発《かいはつ》 ニュージーランド
年代《ねんだい》 1942年

プロフィール

■全《ぜん》　長《ちょう》……4.2m
■最高速度《さいこうそくど》……12km/h
■高《たか》　さ……3.65m
■兵《へい》　装《そう》……7.7mm機関銃《きかんじゅう》×6

ニュージーランドはそれまでイギリスから戦車《せんしゃ》をもらっていましたが、第《だい》二次世界大戦《にじせかいたいせん》で日本《にほん》がオセアニアに進出《しんしゅつ》すると、急《いそ》いで国産戦車《こくさんせんしゃ》を造《つく》ることにしました。

しかし、当時《とうじ》のニュージーランドは戦車《せんしゃ》どころか自動車《じどうしゃ》すら造《つく》れないほどの小国《しょうこく》。でき上《あ》がった戦車《せんしゃ》は、**トラクターに薄《うす》い鋼板《こうはん》をたくさん貼《は》り付《つ》け、機関銃《きかんじゅう》を装備《そうび》しただけのシロモノ**。こんなので戦《たたか》えるのか……と思《おも》っていたら、日本軍《にほんぐん》がニュージーランドに来《こ》なかったので、この戦車《せんしゃ》が実戦《じっせん》に出《で》ることはありませんでした。

第《だい》4章《しょう》

ざんねんな海《うみ》の兵器《へいき》

重雷装艦《じゅうらいそうかん》

欲張《よくば》って魚雷《ぎょらい》を積《つ》み過《す》ぎ、暴発《ぼうはつ》の危機《きき》！

開発《かいはつ》
日本《にほん》

年代《ねんだい》
1941年《ねん》

プロフィール

■全《ぜん》　長《ちょう》……162.2m　■排水量《はいすいりょう》（基準《きじゅん》）……5,100トン
■兵《へい》　装《そう》……61cm4連装魚雷発射管《れんそうぎょらいはっしゃかん》×10（合計《ごうけい》40門《もん》）

どんな敵艦《てきかん》も
こっぱみじんだ!

かつての日本《にほん》には、魚雷《ぎょらい》による攻撃《こうげき》に特化《とっか》した重雷装艦《じゅうらいそうかん》という船《ふね》がありました。

魚雷《ぎょらい》とは、爆薬《ばくやく》とスクリューを搭載《とうさい》した細《ほそ》長《なが》い形《かたち》の兵器《へいき》で、軍艦《ぐんかん》から投下《とうか》されて水中《すいちゅう》を走《はし》り、目標《もくひょう》にダメージを与《あた》えるものです。普《ふ》通《つう》の魚雷《ぎょらい》はその仕組《しく》み上《じょう》、水中《すいちゅう》を走《はし》るときにブクブクと泡《あわ》が立《た》ち、敵《てき》に気《き》づかれやすい欠《けっ》点《てん》がありましたが、日本《にほん》はその泡《あわ》を出《だ》しにくくした改良型《かいりょうがた》の〝酸素魚雷《さんそぎょらい》〟を開発《かいはつ》しました。

そんな魚雷開発《ぎょらいかいはつ》にこだわった日本《にほん》は、**限界《げんかい》まで魚雷《ぎょらい》を詰《つ》め込《こ》んで、大量《たいりょう》に敵《てき》を攻撃《こうげき》できる軍艦《ぐんかん》を造《つく》りました。**それが重雷装艦《じゅうらいそうかん》です。普通《ふつう》の軍艦《ぐんかん》が1回《かい》の攻撃《こうげき》で3、4発《ぱつ》ほどしか魚雷《ぎょらい》を撃《う》てないのに対《たい》し、この軍艦《ぐんかん》はなんと最大《さいだい》40発《ぱつ》も撃《う》つことができました。

ですが、言《い》いかえればこの軍艦《ぐんかん》は大量《たいりょう》の爆《ばく》薬《やく》をそのまま載《の》せている状態《じょうたい》です。つまり、**機関銃《きかんじゅう》が少《すこ》し当《あ》たっただけで、すぐさま魚雷《ぎょらい》が大爆発《だいばくはつ》し、簡単《かんたん》に沈《しず》んでしまう危険《きけん》がありました。**第二次世界大戦《だいにじせかいたいせん》では飛行機《ひこうき》が戦争《せんそう》の主役《しゅやく》になったこともあり、この軍艦《ぐんかん》に活躍《かつやく》の機会《きかい》はありませんでした。

伊《い》400型《がた》潜《せん》水《すい》艦《かん》

地球《ちきゅう》の裏側《うらがわ》まで飛行機《ひこうき》を運《はこ》べたのに

開発《かいはつ》
日本《にほん》
年代《ねんだい》
1945年《ねん》

第二次世界大戦以前《だいにじせかいたいせんいぜん》の潜水艦《せんすいかん》には、飛行機《ひこうき》が搭載《とうさい》されているものがありました。これは戦場上空《せんじょうじょうくう》を偵察《ていさつ》するためのもので、必《かなら》ずしも攻撃用《こうげきよう》の飛行機《ひこうき》ではなかったのですが、日本《にほん》はこの運用方法《うんようほうほう》をさらに発展《はってん》させ、**潜水艦《せんすいかん》に攻撃機《こうげきき》を搭載《とうさい》した〝潜水空母《せんすいくうぼ》〟を開発《かいはつ》しました。**

こうして生《う》まれた伊《い》４００型潜水艦《がたせんすいかん》は、当《とう》時世界最大《じせかいさいだい》の潜水艦《せんすいかん》で、地球《ちきゅう》を１周半《しゅうはん》できるほどの長《なが》い航続距離《こうぞくきょり》を持《も》っていました。つまり、**地球《ちきゅう》のどこからでも攻撃《こうげき》が可能《かのう》で、攻撃《こうげき》後《ご》はそのまま日本《にほん》に戻《もど》ってくることが出来《でき》たのです。**搭載《とうさい》された飛行機《ひこうき》は特殊攻撃機《とくしゅこうげきき》「晴《せい》嵐《らん》」で、８００kgの大型爆弾《おおがたばくだん》を投下《とうか》することができました。

伊《い》４００型潜水艦《がたせんすいかん》はこの晴嵐《せいらん》を使《つか》い、南北《なんぼく》アメリカ大陸《たいりく》を結《むす》ぶパナマ運河《うんが》の攻撃《こうげき》を行《おこな》う予定《よてい》でした。３隻《せき》が建造《けんぞう》されましたが、完成《かんせい》したのが第二次世界大戦末期《だいにじせかいたいせんまっき》の１９４５年《ねん》だったため、ほとんど活躍《かつやく》できぬまま終戦《しゅうせん》を迎《むか》えました。

プロフィール

■全《ぜん》　長《ちょう》……122m
■兵《へい》　装《そう》……14cm砲《ほう》×1、53cm魚雷《ぎょらい》×20
■排水量《はいすいりょう》(基準《きじゅん》)……3,530トン
■搭載機数《とうさいきすう》……3機《き》

ざんねん度 ☹ ☹ ☹

50万トン級戦艦

開発 **日本**

年代 **1910年代**

ある日、大きな船を造る夢を見た

世界最大の戦艦といえば、日本が建造した大和型戦艦です。しかし、日本はそれ以前に、もっともっと大きな戦艦を計画していたことがありました。

日本が戦艦を自国で造り始めたのは、明治時代末期の1910年代です（それまではイギリスなどから戦艦を買っていました）。

当時の日本には戦艦を何隻も造る技術もお金もないので、「普通の戦艦を25隻も造るより、超巨大な戦艦を1隻造れば良い」という発想が出てきました。そうして考えられたのが、

50万トン級戦艦です。

この戦艦は、排水量がなんと50万トン、全長は600mを超え、主砲として41cm砲を200門以上搭載するバケモノ戦艦でした。

なお当時の戦艦は41cm砲8門が主流でした。

この想像を絶する超巨大戦艦の前では、どんな軍艦も相手になりませんが、そもそも現代ですら排水量50万トンを超える船はタンカーなどごくわずかなうえに、当時の日本にそんなものを造れる力はまったくなかったので、ただの妄想で終わってしまいました。

74

ボク1隻《せき》で、
戦艦《せんかん》25隻《せき》ぶん!

プロフィール

■全《ぜん》　長《ちょう》……609m(1017mとも)

■排水量《はいすいりょう》……50万《まん》トン以上《いじょう》

■兵《へい》　装《そう》……41cm砲《ほう》×200以上《いじょう》、
14cm砲《ほう》×200、魚雷発射管《ぎょらいはっしゃかん》×200

エクラノプラン

船《ふね》と飛行機《ひこうき》のいいとこ取《ど》り失敗《しっぱい》

船《ふね》は大量《たいりょう》の荷物《にもつ》を運《はこ》べるものの速度《そくど》は遅《おそ》く、飛行機《ひこうき》は速度《そくど》が速《はや》いものの運《はこ》べる荷物《にもつ》は少《すく》なめです。そんな船《ふね》と飛行機《ひこうき》のいいとこ取《ど》りをした兵器《へいき》が、ソ連《れん》の開発《かいはつ》したエクラノプランです。

この兵器《へいき》、**見《み》た目《め》は飛行機《ひこうき》の形《かたち》をしていますが、れっきとした船《ふね》で、空《そら》を飛《と》ぶことはできません。**代《か》わりに、ホバークラフトのように水面《すいめん》スレスレを高速《こうそく》で移動《いどう》します。陸上《りくじょう》の動物《どうぶつ》に例《たと》えれば、ダチョウみたいなもの

開発《かいはつ》 ソ連《れん》

年代《ねんだい》 1970年代《ねんだい》

プロフィール

■全《ぜん》　長《ちょう》……92m
■最高速度《さいこうそくど》……500km/h
■搭載量《とうさいりょう》……494トン
■兵《へい》　装《そう》……なし

です。

ソ連《れん》は大量《たいりょう》の兵士《へいし》や戦車《せんしゃ》を素《す》早《ばや》く戦場《せんじょう》に運《はこ》ぶため、この兵器《へいき》を活用《かつよう》しようとしました。**完成《かんせい》したエクラノプランはその性能《せいのう》や姿《すがた》から、別名〝カスピ海《かい》の怪《かい》物《ぶつ》〟と呼《よ》ばれ、恐《おそ》れられました。**

しかし、現在《げんざい》このような兵器《へいき》はほとんど見《み》られなくなっています。

理由《りゆう》として、この兵器《へいき》を運用《うんよう》するためには専用《せんよう》の港湾設備《こうわんせつび》が必要《ひつよう》なこと、さらに船体《せんたい》の強度《きょうど》が弱《よわ》いので、波《なみ》が荒《あ》れるとバランスを崩《くず》して沈没《ちんぼつ》してしまうこと、などがありました。

こんな見《み》た目《め》ですが
飛《と》べません

ウシャコフの飛行潜水艦《ひこうせんすいかん》

実現《じつげん》できれば最高《さいこう》だった空飛《そらと》ぶ潜水艦《せんすいかん》

開発《かいはつ》　ソ連《れん》

年代《ねんだい》　1930年代《ねんだい》

作《つく》り話《ばなし》のなかでは、空《そら》や海《うみ》を自由《じゆう》に移動《いどう》できる軍艦《ぐんかん》が登場《とうじょう》するのは珍《めずら》しくありません。ところが現実《げんじつ》の世界《せかい》でも、そのような軍艦《ぐんかん》が考《かんが》えられていました。その一例《いちれい》が、〝ウシャコフの飛行潜水艦《ひこうせんすいかん》〟です。

これは1930年代《ねんだい》にボリス・M・ウシャコフという技師《ぎし》が考《かんが》えたもので、飛行機《ひこうき》と潜《せん》水艦《すいかん》を合体《がったい》させた兵器《へいき》です。見《み》た目《め》はプロペラが3つ付《つ》いた大型《おおがた》の飛行機《ひこうき》ですが、コックピットと重《かさ》なるように潜望鏡《せんぼうきょう》が上《うえ》に伸《の》びているのが特徴《とくちょう》です。戦場《せんじょう》までは飛行機《ひこうき》の力《ちから》で空《そら》を飛《と》び、戦場《せんじょう》では潜水艦《せんすいかん》のように水中《すいちゅう》へ潜《もぐ》って、魚雷《ぎょらい》で敵艦《てきかん》を攻撃《こうげき》する予定《よてい》でした。

しかし、いくらなんでも飛行機《ひこうき》と潜水艦《せんすいかん》というまったく違《ちが》った兵器《へいき》を組《く》み合《あ》わせるのはムリでした。**飛行機《ひこうき》は空《そら》を飛《と》ぶために重量《じゅうりょう》を軽《かる》くする必《ひつ》要《よう》があるのに対《たい》し、潜水艦《せんすいかん》は海《うみ》に潜《もぐ》るために重量《じゅうりょう》を重《おも》くしないといけないからです。**

この矛盾《むじゅん》を解決《かいけつ》できないまま、ウシャコフの飛行潜水艦《ひこうせんすいかん》は計画《けいかく》だおれに終《お》わってしまいました。

前《まえ》についてる
プロペラは、水中《すいちゅう》では
スクリューになるんだ

プロフィール

■全《ぜん》　長《ちょう》……約《やく》2m　■最高深度《さいこうしんど》……45m
■最高速度《さいこうそくど》……185km/h　■兵《へい》　装《そう》……45.7cm魚雷《ぎょらい》×2

氷《ひょう》山《ざん》空《くう》母《ぼ》ハボクック

開発《かいはつ》 イギリス
年代《ねんだい》 1943年《ねん》

氷《こおり》でできた空母《くうぼ》、壊《こわ》れてもすぐ直《なお》せるが……

氷《こおり》でできているから沈《しず》まない！ 地球《ちきゅう》に優《やさ》しいエコ兵器《へいき》さ！

ジェフリー・パイク博士《はかせ》

プロフィール

- 全《ぜん》　長《ちょう》……約《やく》600m
- 排水量《はいすいりょう》……200万《まん》トン
- 最高速力《さいこうそくりょく》……18km/h
- 搭載機数《とうさいきすう》……150機《き》

第《だい》二《に》次《じ》世《せ》界《かい》大《たい》戦《せん》中《ちゅう》、連合国《れんごうこく》はドイツの潜水《せんすい》艦《かん》Uボートによる攻撃《こうげき》に悩《なや》まされており、反《はん》撃《げき》する方法《ほうほう》を探《さが》していました。この話《はなし》を聞《き》きつけたジェフリー・N・パイク博士《はかせ》は、とんでもない計画《けいかく》をまとめあげました。**氷《こおり》でできた巨大《きょだい》な航空母艦《こうくうぼかん》、通称《つうしょう》〝氷山空母《ひょうざんくうぼ》ハボクック〟です。**

この空母《くうぼ》は全長約《ぜんちょうやく》600mもあり、空母《くうぼ》というより人工島《じんこうとう》に近《ちか》い性質《せいしつ》を持《も》っています。材料《ざいりょう》はほぼ全《すべ》て氷《こおり》の塊《かたまり》で、パイク博士《はかせ》は氷《こおり》と木材《もくざい》を混《ま》ぜたコンクリートならぬ〝パイクリート〟を自作《じさく》して、船《ふね》に使《つか》おうとしていました。

氷《こおり》はいつか溶《と》けてしまいますが、内部《ないぶ》に冷却《れいきゃく》器《き》を大量《たいりょう》に追加《ついか》することで船《ふね》の形《かたち》を保《たも》ち、**もし敵《てき》の攻撃《こうげき》で損傷《そんしょう》しても、海水《かいすい》を凍《こお》らせてくっつければ修理《しゅうり》できるので、「絶対《ぜったい》に沈《しず》まない」というのがこの空母《くうぼ》の〝ウリ〟**でした。

早速《さっそく》アメリカ、イギリス、カナダの3ヵ国《こく》が協力《きょうりょく》して計画《けいかく》が始《はじ》まりましたが、試作《しさく》してみると運用《うんよう》にものすごいお金《かね》がかかることがわかり、計画《けいかく》はたった1年《ねん》で〝凍結《とうけつ》されて〟しまいました。

円形砲艦《えんけいほうかん》

砲弾《ほうだん》の辿《たど》り着《つ》く先《さき》は川《かわ》の流《なが》れ次第《しだい》

開発《かいはつ》 ロシア帝国《ていこく》

年代《ねんだい》 1870年代《ねんだい》

このまんまるさが良《よ》いんです

プロフィール

■全長《ぜんちょう》……30.8m ■兵装《へいそう》……27.9cm砲《ほう》×2

■排水量《はいすいりょう》(常備《じょうび》)……2,531トン

世界《せかい》の変《か》わった軍艦《ぐんかん》を挙《あ》げるとき、円形砲艦《えんけいほうかん》ノヴゴロドは外《はず》せません。船《ふね》といえば細長《ほそなが》い形《かたち》をしているのが普通《ふつう》ですが、**この軍艦《ぐんかん》は、なんと形《かたち》がまん丸《まる》なのです。**

水《みず》に物《もの》を浮《う》かべるときは、丸《まる》い形《かたち》のほうが安定《あんてい》します。ロシア帝国《ていこく》はこの発想《はっそう》にヒントを得《え》て、ノヴゴロドという円形砲艦《えんけいほうかん》を造《つく》りました。大《おお》きな川《かわ》にこの船《ふね》を浮《う》かべて地上《ちじょう》の目標《もくひょう》を砲撃《ほうげき》する〝砲艦《ほうかん》〟として活用《かつよう》する予定《よてい》でした。

ですが、船《ふね》の形《かたち》が丸《まる》いせいで、**水《みず》の流《なが》れを受《う》けるとクルクル回《まわ》ってしまい、**役《やく》に立《た》ちませんでした。

第《だい》5章《しょう》

ざんねんな空《そら》の兵器《へいき》

ボールトンポール デファイアント

命《いのち》が惜《お》しければ俺《おれ》の後《うし》ろを飛《と》ぶな！

開発《かいはつ》 イギリス
年代《ねんだい》 1937年《ねん》

イギリスの開発《かいはつ》したデファイアント戦闘機《せんとうき》は、後《うし》ろにしか武器《ぶき》を持《も》っていないことで有《ゆう》名《めい》な戦闘機《せんとうき》です。

機体《きたい》を操縦《そうじゅう》する人《ひと》と機銃《きじゅう》を撃《う》つ人《ひと》を分《わ》ければ、それぞれの仕事《しごと》に専念《せんねん》することができると考《かんが》えたイギリスは、コックピットの真後《まうし》ろに機銃《きじゅう》を集中《しゅうちゅう》して、広《ひろ》い視界《しかい》で敵《てき》を攻撃《こうげき》できる戦闘機《せんとうき》を開発《かいはつ》しました。

ところがこのデファイアント、当然《とうぜん》ながらコックピットが邪魔《じゃま》で前《まえ》に機銃《きじゅう》を撃《う》つことができません。そのうえ欲張《よくば》って4門《もん》も機銃《きじゅう》を置《お》いているので、機体《きたい》はとても重《おも》くなり、速《そく》度《ど》もほかの戦闘機《せんとうき》と比《くら》べて少《すこ》し遅《おそ》めです。

第二次世界大戦《だいにじせかいたいせん》が始《はじ》まると、最新鋭戦闘機《さいしんえいせんとうき》としてドイツ軍《ぐん》の戦闘機《せんとうき》と戦《たたか》いましたが、この欠陥《けっかん》のせいで完敗《かんぱい》してしまいました。デファイアントは「挑戦的《ちょうせんてき》な」という意味《いみ》ですが、その挑戦《ちょうせん》は大失敗《だいしっぱい》に終《お》わったのです。

前《まえ》に撃《う》てなきゃ
意味《いみ》がない、
後《うし》ろ向《む》きな戦闘機《せんとうき》です

プロフィール

■分類《ぶんるい》……戦闘機《せんとうき》 ■全長《ぜんちょう》……10.77m ■航続距離《こうぞくきょり》……750km
■最大速度《さいだいそくど》……489km/h ■兵装《へいそう》……7.7mm 機銃《きじゅう》× 4

XF5U（V-173）

パンケーキが空《そら》から攻《せ》めてくる！

開発《かいはつ》
アメリカ

年代《ねんだい》
1944年《ねん》

もしかしたら、
世界《せかい》の飛行機《ひこうき》が
こんな形《かたち》になっていたかも？

プロフィール

■分類《ぶんるい》……戦闘機《せんとうき》 ■全長《ぜんちょう》……8.57m ■航続距離《こうぞくきょり》……1,685km
■最高速度《さいこうそくど》……765km/h ■兵装《へいそう》……12.7mm 機銃《きじゅう》 × 6

飛行機《ひこうき》の翼《つばさ》の種類《しゅるい》に、円盤翼《えんばんよく》というものがあります。翼《つばさ》を円盤型《えんばんがた》にすると翼《つばさ》の面積《めんせき》が広《ひろ》くなるため、そのぶん機体《きたい》が浮《う》きやすくなるのです。

ＸＦ５Ｕはアメリカ海軍《かいぐん》が開発《かいはつ》した艦上戦闘機《かんじょうせんとうき》で、この不思議《ふしぎ》な円盤翼《えんばんよく》を持《も》っています。平《ひら》べったい胴体《どうたい》は翼《つばさ》と一体化《いったいか》し、その先《さき》から尾翼《びよく》とコックピット、プロペラが突《つ》き出《で》た形《かたち》をしており、その見《み》た目《め》から〝空飛《そらと》ぶパンケーキ〟とあだ名《な》されていました。

斬新《ざんしん》な形《かたち》にして性能《せいのう》も良好《りょうこう》、すぐに量産《りょうさん》……となる予定《よてい》でしたが、ＸＦ５Ｕがざんねんだったのは、開発《かいはつ》された時期《じき》でした。この飛行機《ひこうき》が開発《かいはつ》された１９４４年《ねん》にはもうジェット機《き》が登場《とうじょう》しており、プロペラ機《き》を開発《かいはつ》する必要《ひつよう》がなくなったため、ＸＦ５Ｕの量産《りょうさん》は中止《ちゅうし》されてしまったのです。

しかし、登場《とうじょう》がもう少《すこ》し早《はや》ければ、この〝空《そら》飛《と》ぶパンケーキ〟が大量《たいりょう》に戦場《せんじょう》を飛《と》び回《まわ》る不《ふ》思議《しぎ》な光景《こうけい》が見《み》られたのかもしれません。

F-82 ツインマスタング

開発《かいはつ》 アメリカ
年代《ねんだい》 1946年《ねん》

さすが米国《べいこく》、飛行中《ひこうちゅう》も休憩可能《きゅうけいかのう》な職場《しょくば》です

プロフィール

■全《ぜん》　長《ちょう》……12.93m
■航続距離《こうぞくきょり》……3,540km
■最高速度《さいこうそくど》……742km/h
■兵《へい》　装《そう》……12.7mm 機銃《きじゅう》 × 6

B-29などの戦略爆撃機《せんりゃくばくげきき》は、長《なが》い距離《きょり》を飛《と》んで爆撃任務《ばくげきにんむ》を行《おこな》います。爆撃機《ばくげきき》を守《まも》る護衛《ごえい》戦闘機《せんとうき》のパイロットは、その間《あいだ》ずっと1人《ひとり》で機体《きたい》を操縦《そうじゅう》しなければならないため、非常《ひじょう》に大変《たいへん》です。

こうした事情《じじょう》からアメリカ軍《ぐん》は、パイロットの負担《ふたん》が少《すく》なくて済《す》むように、2人交代《ふたりこうたい》で操縦《そうじゅう》できる戦闘機《せんとうき》の開発《かいはつ》を求《もと》めました。その結果《けっか》、普通《ふつう》の戦闘機《せんとうき》を横《よこ》に2つつなげるという、とてもおかしな形《かたち》の飛行機《ひこうき》が出来上《できあ》がってしまったのです。

F-82ツインマスタングは、P-51マスタングという戦闘機《せんとうき》の翼同士《つばさどうし》をつなげた形《かたち》をしています。コックピットもちゃんと2つあり、どちらか一方《いっぽう》のパイロットが休憩中《きゅうけいちゅう》でも、もう片方《かたほう》のパイロットが操縦《そうじゅう》できるようになっていました。

一見《いっけん》すると合理的《ごうりてき》な考《かんが》え方《かた》ですが、さすがに2つの機体《きたい》を直接《ちょくせつ》くっつけるのはうまくいかなかったようで、翼《つばさ》を再設計《さいせっけい》したりエンジンを調整《ちょうせい》したりと、普通《ふつう》に造《つく》るより余計《よけい》に手《て》間《ま》がかかってしまいました。

スティパ・カプロニ

ジェット機《き》のご先祖《せんぞ》さまは直進《ちょくしん》しかできない

開発《かいはつ》 イタリア
年代《ねんだい》 1930年代《ねんだい》

スティパ・カプロニは、1930年代《ねんだい》にイタリアで開発《かいはつ》された実験機《じっけんき》です。

この機体《きたい》はなんといっても丸《まる》っこい形《かたち》が特徴《とくちょう》です。まるで**トイレットペーパーの芯《しん》にコックピットと翼《つばさ》が生《は》えたような姿《すがた》**をしていますが、これにはちゃんとした理由《りゆう》がありました。

スティパ・カプロニの胴体《どうたい》はすっぽりと空洞《くうどう》になっており、その中《なか》にエンジンとプロペラが隠《かく》れています。プロペラが回《まわ》って風《かぜ》が起《お》きると、その風《かぜ》は胴体《どうたい》からスムーズに後《うし》ろへ流《なが》れるので、そのぶん前《まえ》へ進《すす》む力《ちから》が上《あ》がるというわけです。しかし、当時《とうじ》の技術《ぎじゅつ》ではプロペラを小《ちい》さくすることができなかったので、このような形《かたち》になってしまいました。

実《じつ》はこの機体《きたい》、**原理的《げんりてき》にはジェットエンジンに近《ちか》い仕組《しく》みをしており、とても先進的《せんしんてき》な飛行機《ひこうき》でした***。機体性能《きたいせいのう》は安定《あんてい》していましたが、風《かぜ》を真後《まうし》ろだけに送《おく》る仕組《しく》みなので**前《まえ》にしか進《すす》めず、左右《さゆう》に曲《ま》がるのがとても難《むずか》しかったようです。**

プロフィール

■全《ぜん》　長《ちょう》……5.5m
■飛行距離《ひこうきょり》……不明《ふめい》
■最高速度《さいこうそくど》……131km/h
■兵《へい》　装《そう》……なし

＊プロペラを丸枠《まるわく》で囲《かこ》むという発想《はっそう》も、現代《げんだい》ではホバークラフトなどに活《い》かされています

開発《かいはつ》 イギリス
年代《ねんだい》 1940年代《ねんだい》

マイルズ リベルラ

造《つく》り方《かた》を間違《まちが》えたとしか思《おも》えません

マイルズ リベルラは、第二次世界大戦中《だいにじせかいたいせんちゅう》にイギリスで造《つく》られた実験機《じっけんき》です。

この機《き》の特徴《とくちょう》は、**誰《だれ》がどう見《み》ても設計《せっけい》を間《ま》違《ちが》えたとしか思《おも》えない奇妙《きみょう》な形《かたち》をしていることです**。主翼《しゅよく》は前《まえ》と後《うし》ろに2つ付《つ》いていて、前《まえ》の翼《つばさ》は、機体《きたい》を安定《あんてい》させる役割《やくわり》もしています*。

リベルラは串形翼《くしがたよく》のテストを行《おこな》うための実《じっ》験機《けんき》でしたが、正式《せいしき》に採用《さいよう》された場合《ばあい》は爆撃《ばくげき》機《き》になる予定《よてい》でした。そのため、胴体《どうたい》には爆《ばく》弾《だん》を投下《とうか》できる穴《あな》がついています。さらに、実《じつ》は空母《くうぼ》に載《の》せるための飛行機《ひこうき》として開発《かいはつ》されたという説《せつ》もあります。

機体《きたい》はM．35とM．39Bの2種類《しゅるい》が開発《かいはつ》されましたが、どちらも試作《しさく》止まりとなりました。

正月《しょうがつ》の福笑《ふくわら》いのように飛行機《ひこうき》のパーツをデタラメに置《お》いていったら、こんな飛行機《ひこうき》が生《う》まれるのかもしれません。

プロフィール

■全《ぜん》　長《ちょう》……6.7m
■最高速度《さいこうそくど》……164km/h
■兵《へい》　装《そう》……20mm機関砲《きかんほう》×2
※M.39Bのスペック

＊このような主翼《しゅよく》の形《かたち》を「串形翼《くしがたよく》」といいます。

ホルテン Ho 229

生《う》まれるのが早《はや》すぎたステルス機《き》

開発《かいはつ》 ドイツ
年代《ねんだい》 1940年代《ねんだい》

飛行機《ひこうき》の種類《しゅるい》の1つに、「全翼機《ぜんよくき》」というものがあります。**胴体《どうたい》も尾翼《びよく》もなく、巨大《きょだい》な主翼《しゅよく》だけで造《つく》られた飛行機《ひこうき》**のことで、現代《げんだい》ではB-2ステルス爆撃機《ばくげきき》しか実用化《じつようか》されていません。しかし、**ドイツは第二次世界大戦《だいにじせかいたいせん》のさなか、この全翼機《ぜんよくき》の開発《かいはつ》にチャレンジしたこと**があります。その役目《やくめ》をまかされたのは、兄《あに》ヴァルター、弟《おとうと》ライマールのホルテン兄弟《きょうだい》でした。

ホルテン Ho 229は、ドイツが試作《しさく》した全翼型《ぜんよくがた》ステルス爆撃機《ばくげきき》です。この機《き》は1トンの爆弾《ばくだん》を積《つ》んで時速約《じそくやく》1000キロを出《だ》せる飛行機《ひこうき》として開発《かいはつ》されました。機体《きたい》を全翼《ぜんよく》にしたのは、空気抵抗《くうきていこう》を減《へ》らして少《すこ》しでも速《そく》度《ど》を上《あ》げるためです。また、**この機《き》は世界初《せかいはつ》のステルス機《き》で、敵《てき》のレーダーに見《み》つかりにくくなっていました。**

ですが、この飛行機《ひこうき》はドイツが第二次世界《だいにじせかい》大戦《たいせん》に敗《やぶ》れたことで開発中止《かいはつちゅうし》となりました。使《つか》われている技術《ぎじゅつ》が時代《じだい》を先取《さきど》りしすぎていたため、実用化《じつようか》されなかった飛行機《ひこうき》ともいえます。

飛行機《ひこうき》っぽくないけど、
ちゃんと飛《と》べるんです

プロフィール

■全《ぜん》　長《ちょう》……7.5m
■最高速度《さいこうそくど》……977km/h
■兵《へい》　装《そう》……30mm 機関砲《きかんほう》 × 2
■爆弾搭載量《ばくだんとうさいりょう》……500kg × 2

トリープフリューゲル

飛《と》んだはいいけど帰《かえ》り方《かた》がわからない

開発《かいはつ》 ドイツ
年代《ねんだい》 1940年代《ねんだい》

トリープフリューゲルは、第二次世界大戦《だいにじせかいたいせん》中《ちゅう》にドイツが開発《かいはつ》した飛行機《ひこうき》です。滑走路《かっそうろ》を使《つか》わない飛行機《ひこうき》として開発《かいはつ》が進《すす》められた、垂直離着陸《すいちょくりちゃくりく》（ＶＴＯＬ）機《き》の原型《げんけい》にあたります。

この機《き》は一見《いっけん》すると3枚《まい》の主翼《しゅよく》にジェットエンジンが付《つ》いているように見《み》えますが、実《じつ》は主翼《しゅよく》ではなく1枚《まい》の巨大《きょだい》なプロペラです。つまり、**この機《き》のプロペラはコックピットの後《うし》ろで胴体《どうたい》と一体化《いったいか》しており、これをジェットエンジンでぶん回《まわ》すことによって飛行《ひこう》するのです。**

なぜ普通《ふつう》にジェットエンジンで空《そら》を飛《と》ぶようにしなかったのか、なぜプロペラにこだわったのか。

そもそもこの飛行機《ひこうき》は果《は》たして普通《ふつう》に飛《と》ぶことができるのか、どうやって着陸《ちゃくりく》するのかもすべてナゾでした。

このように問題《もんだい》が山積《やまづ》みだったので試作機《しさくき》すら造《つく》ることができず、ドイツの敗戦《はいせん》とともにこの飛行機《ひこうき》も計画中止《けいかくちゅうし》となりました。

そういえば、
どうやって
着陸《ちゃくりく》するんだっけ…

プロフィール

■全《ぜん》　長《ちょう》……9.15m　■兵《へい》　装《そう》……30mm機関砲《きかんほう》×2
■最高速度《さいこうそくど》……1,000km/h

ミステル

使《つか》い捨《す》てにされる飛行機型《ひこうきがた》の爆弾《ばくだん》

開発《かいはつ》 ドイツ

年代《ねんだい》 1944年《ねん》

名前《なまえ》は“見捨《みす》てる”
じゃなくて“ヤドリギ”の
意味《いみ》です

プロフィール

■製《せい》　造《ぞう》……約《やく》250機《き》　■搭載爆弾《とうさいばくだん》……1.8トン

ミステルとは、第二次世界大戦《だいにじせかいたいせん》後半《こうはん》にドイツが造《つく》った飛行機爆弾《ひこうきばくだん》のことです。

爆弾《ばくだん》は一度《いちど》投下《とうか》されると、目標《もくひょう》に向《む》かってひたすら落《お》ちていきますが、風《かぜ》が強《つよ》かったりすると当《あ》たらないことが多《おお》いので、**目標《もくひょう》へ自《じ》動的《どうてき》に突《つ》っ込《こ》んでいく爆弾《ばくだん》システム**をドイツは考《かんが》えました。それは、「**飛行機《ひこうき》そのものを爆弾《ばくだん》に改造《かいぞう》する**」というものです。

ミステルは、戦闘機《せんとうき》と爆撃機《ばくげきき》を上下《じょうげ》にくっつけた形《かたち》をしています。パイロットは上《うえ》の戦《せん》闘機《とうき》に乗《の》って、戦場《せんじょう》で下《した》の爆撃機《ばくげきき》を投下《とうか》します。実《じつ》はこの爆撃機《ばくげきき》には爆弾《ばくだん》がたくさん積《つ》まれていて、目標《もくひょう》に向《む》かって飛行《ひこう》しながらゆっくり落《お》ちていくのです。

爆弾《ばくだん》に翼《つばさ》が生《は》えているので命中《めいちゅう》しやすくなるという考《かんが》え方《かた》だったようですが、実際《じっさい》には**下《した》の爆撃機《ばくげきき》が重《おも》すぎて、戦場《せんじょう》でゆっくり爆弾《ばくだん》を落《お》とす余裕《よゆう》なんてなかった**のです。発想自《はっそうじ》体《たい》は現代《げんだい》のミサイルに近《ちか》かったのですが、ミステルは活躍《かつやく》することができませんでした。

インフレートプレーン

羽《はね》を付《つ》けた風船《ふうせん》だから穴《あな》があいたらすぐ落《お》ちます

開発《かいはつ》 アメリカ
年代《ねんだい》 1990年代《ねんだい》

プロフィール

■全　長《ぜんちょう》……5.97m
■航続距離《こうぞくきょり》……708km
■最高速度《さいこうそくど》……113km/h
■兵　装《へいそう》……なし

ふわふわ浮《う》かぶ風船《ふうせん》。アメリカはかつて、風船《ふうせん》のように膨《ふく》らませて使《つか》うゴム飛行機《ひこうき》を作《つく》ったことがありました。

飛行機《ひこうき》をいつでも飛《と》ばせるようにしておくのは意外《いがい》と大変《たいへん》です。でも風船《ふうせん》なら、その場《ば》で空気《くうき》を入《い》れて膨《ふく》らませるだけ。どこでも作《つく》れます。空気《くうき》を抜《ぬ》いておけば、置《お》き場所《ばしょ》にも困《こま》らないし、持《も》ち運《はこ》びもラクラクです。

しかし、この飛行機《ひこうき》の最大《さいだい》の欠点《けってん》は機体強度《きたいきょうど》でした。なにせ**元《もと》が風船《ふうせん》なので、少《すこ》しでも穴《あな》が空《あ》くとしぼんでしまうのです**。結局《けっきょく》、試作止《しさくど》まりとなりました。

ざんねん度《ど》 ☹☹☹

SNCAO ACA-5

開発《かいはつ》 フランス

年代《ねんだい》 1944年《ねん》

マンボウのように丸《まる》くて薄《うす》くすれば速《はや》く飛《と》べるかな

どう間違《まちが》ったら
こんな形《かたち》に
なっちゃうんだろう

プロフィール

■全長《ぜんちょう》……7.1m ■最高速度《さいこうそくど》……不明《ふめい》
■高《たか》さ……4.5m ■兵装《へいそう》……不明《ふめい》

第二次世界大戦終戦直前《だいにじせかいたいせんしゅうせんちょくぜん》にフランスが計画《けいかく》した飛行機《ひこうき》です。

この機体《きたい》は、**胴体《どうたい》がマンボウのように細《ほそ》く平《ひら》べったい形《かたち》をしている**のが特《とく》徴《ちょう》です。胴体《どうたい》を細《ほそ》くすれば、空気抵抗《くうきていこう》を減《へ》らしてスピードを上《あ》げられると思《おも》ったのかもしれません。コックピットだけが前《まえ》に飛《と》び出《だ》していて、主翼《しゅよく》も尾《び》翼《よく》もプロペラも全部後《ぜんぶうし》ろに付《つ》いています。

あまりにもめちゃくちゃな設計《せっけい》だったので、模型《もけい》が作《つく》られた時点《じてん》ですぐに計画《けいかく》は中止《ちゅうし》となりました。**計画《けいかく》の立《た》ち上《あ》げから中止《ちゅうし》まで、わずか2週間《しゅうかん》だったそうです。**

XF-85 ゴブリン

親《おや》から離《はな》れて戦《たたか》うお子《こ》さま戦闘機《せんとうき》

開発《かいはつ》 アメリカ

年代《ねんだい》 1948年《ねん》

戦略爆撃機《せんりゃくばくげきき》の長《なが》い飛行距離《ひこうきょり》に戦闘機《せんとうき》がついていけない、という問題《もんだい》を解決《かいけつ》するために、ツインマスタングのような戦闘機《せんとうき》が生《う》まれたことはすでに説明《せつめい》しました。しかし、ジェット機《き》の時代《じだい》になると爆撃機《ばくげきき》の飛行距離《ひこうきょり》がさらに伸《の》び、とても戦闘機《せんとうき》では追《お》いつけません。

そこでアメリカは、**爆撃機《ばくげきき》（親《おや》）の中《なか》に戦闘機《せんとうき》（子《こ》）を入《い》れて、空中《くうちゅう》で投下《とうか》できるようにすればよい**と考《かんが》えました。これが〝親子戦闘機《おやこせんとうき》〟プランです。とはいっても、普通《ふつう》の爆撃機《ばくげきき》は爆弾《ばくだん》を入《い》れているので、爆弾《ばくだん》のように丸《まる》い形《かたち》の戦闘機《せんとうき》を造《つく》らないと中《なか》に入《はい》りません。こうして生《う》まれた特殊《とくしゅ》な戦闘機《せんとうき》が、XF-85ゴブリンでした。

さて、問題《もんだい》はどうやって爆撃機《ばくげきき》に帰《かえ》ってくるかです。ゴブリンのコックピットの前《まえ》にはクレーンがついており、これを爆撃機《ばくげきき》のクレーンに引《ひ》っかけて回収《かいしゅう》してもらう予定《よてい》でした。

しかし、**ただでさえ不安定《ふあんてい》になりがちな空中《くうちゅう》で、クレーンに機体《きたい》を引《ひ》っかけるなんて器用《きよう》なことはとても難《むずか》しく、性能《せいのう》も平凡以下《へいぼんいか》で不採用《ふさいよう》に終《お》わりました。**

爆撃機《ばくげきき》の中《なか》に
飛行機《ひこうき》を入れるなんて、
設計者《せっけいしゃ》は苦労《くろう》しただろうね

プロフィール

■全《ぜん》　長《ちょう》……4.5m　■高《たか》　さ……2.5m
■最大速度《さいだいそくど》……1,069km/h　■兵《へい》　装《そう》……12.7mm機関銃《きかんじゅう》×4

ＸＦＹ-１ ポゴ

地面《じめん》が見《み》えないから着陸《ちゃくりく》できません

開発《かいはつ》 アメリカ

年代《ねんだい》 １９５４年《ねん》

滑走路《かっそうろ》を使《つか》わず、垂直離着陸《すいちょくりちゃくりく》を行《おこな》う飛行機《ひこうき》をＶＴＯＬ機《き》といいます。現代《げんだい》では実用化《じつようか》されていますが、その開発《かいはつ》には長《なが》い時間《じかん》がかかりました。ＸＦＹ-１ポゴは、アメリカで最初《さいしょ》のＶＴＯＬ機《き》の１つです。

現代《げんだい》のＶＴＯＬ機《き》は、ジェットエンジンの噴出口《ふきだしぐち》（ノズル）の向《む》きを変《か》えることで離着陸《りちゃくりく》や飛行《ひこう》をしますが、１９５０年代当時《ねんだいとうじ》はそんな技術《ぎじゅつ》がなかったので、**「機体《きたい》をタテ置《お》きにして、空中《くうちゅう》で機体《きたい》の向《む》きをヨコに変《か》える」**というＶＴＯＬ機《き》が造《つく》られました＊。

ポゴはミサイルのように４枚《まい》の大《おお》きな翼《つばさ》を持《も》ち、機体《きたい》の形《かたち》がタテになっています（ちなみにパイロットはハシゴを使《つか》ってコックピットに登《のぼ》ります）。離陸《りりく》と飛行《ひこう》はこれでうまくいくのですが、問題《もんだい》は着陸《ちゃくりく》するときです。

着陸《ちゃくりく》するときは空中《くうちゅう》で機体《きたい》をヨコからタテに戻《もど》さないといけないうえに、パイロットは着陸中《ちゃくりくちゅう》に地面《じめん》がまったく見《み》えないということがわかったので、開発《かいはつ》は中止《ちゅうし》となりました。

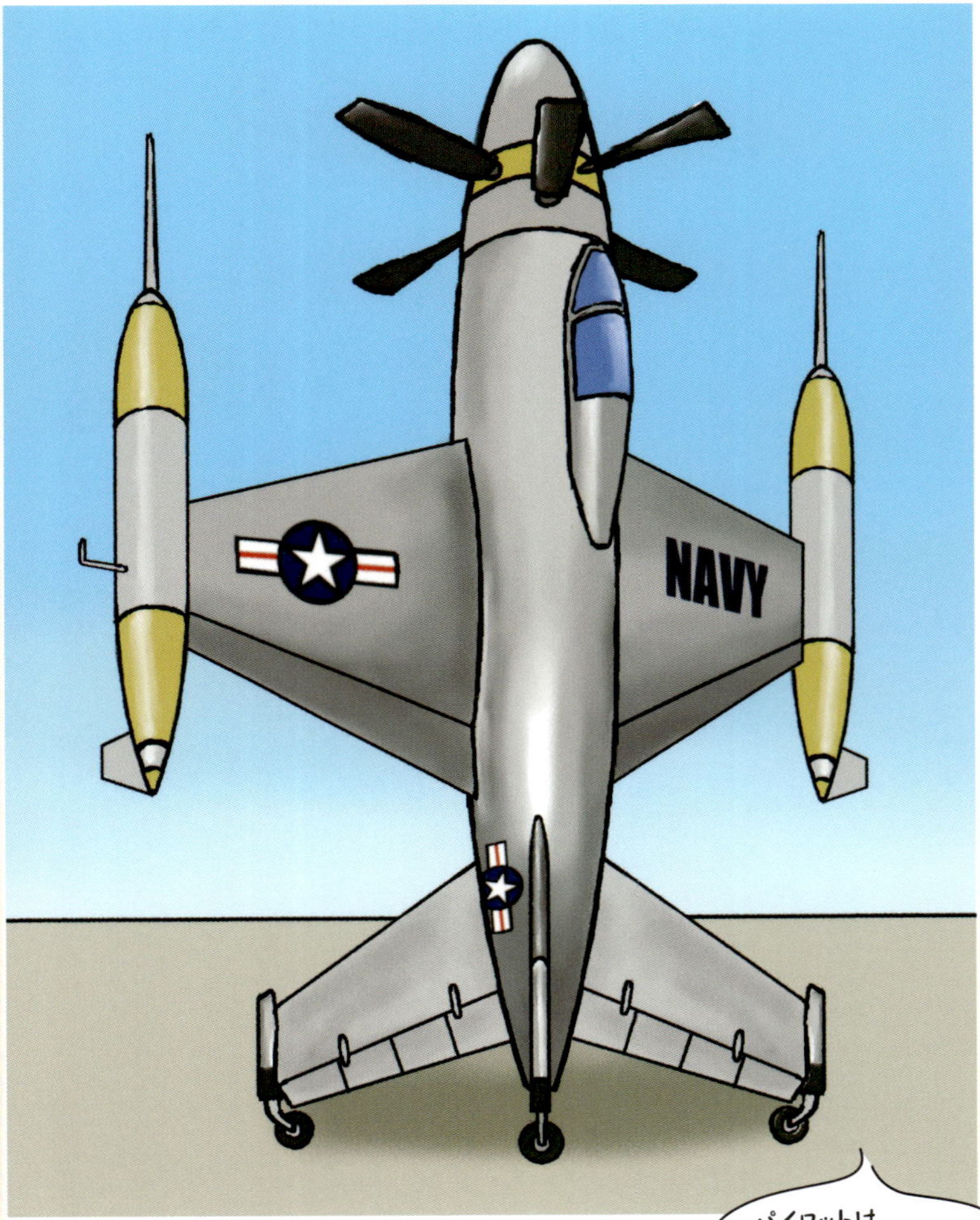

パイロットは
ハシゴを使《つか》って
コックピットに入《はい》ります

プロフィール

■全《ぜん》　長《ちょう》……10.6m
■兵《へい》　装《そう》……20mm機関砲《きかんほう》×4
■最高速度《さいこうそくど》……763km/h

 ＊このような機体《きたい》の形《かたち》を「テイルシッター型《がた》」といいます

C450 コレオプテール

開発《かいはつ》 フランス
年代《ねんだい》 1959年《ねん》

エンジンの上《うえ》に人《ひと》が乗《の》るロケットみたいな飛行機《ひこうき》

実験機《じっけんき》だから、こんな形《かたち》で良《よ》いのです

プロフィール

- 全《ぜん》　長《ちょう》……8m
- 飛行距離《ひこうきょり》……不明《ふめい》
- 最高速度《さいこうそくど》……不明《ふめい》
- 兵《へい》　装《そう》……なし

1950年代《ねんだい》は、垂直離着陸《すいちょくりちゃくりく》（VTOL）機《き》の実験《じっけん》がたくさん行《おこな》われた時代《じだい》でした。

この飛行機《ひこうき》は、巨大《きょだい》なジェットエンジンの先《さき》っちょに小《ちい》さなコックピットを付《つ》けただけの形《かたち》をしていました。もはや**飛行機《ひこうき》というよりロケットに近《ちか》い形《かたち》**をしていますが、小《ちい》さな尾翼《びよく》と車輪《しゃりん》が4つ付《つ》いているので、ギリギリ飛行《ひこう》機《き》であるといえます。

機体《きたい》の発射《はっしゃ》もロケットのように発射《はっしゃ》台《だい》に載《の》せられました。9回《かい》の実験《じっけん》を行《おこな》いましたが、飛行機《ひこうき》としての性能《せいのう》はほとんどないため、実験《じっけん》も終《お》わりました。

ざんねん度《ど》 😟😟😟

ドゥランヌ 10C2

フランス軍《ぐん》が考《かん》えた珍飛行機《ちんひこうき》が、ドイツ軍《ぐん》の目《め》を引《ひ》いた

開発《かいはつ》 フランス、ドイツ

年代《ねんだい》 1940年《ねん》

プロフィール

■全《ぜん》　長《ちょう》……7.3m ■最高速度《さいこうそくど》……550km/h
■兵《へい》　装《そう》……20mm機関砲《きかんほう》×1、7.5mm機関銃《きかんじゅう》×4

ドゥランヌ10C2は、フランスのマルセル・ドゥランヌ博士《はかせ》によって造《つく》られた飛行機《ひこうき》です。前《まえ》と後《うし》ろに2セットの主翼《しゅよく》を持《も》っていますが、とても不《ぶ》格好《かっこう》になり、**いちばん最後《さいご》に付《つ》けられたコックピットはほとんど前《まえ》が見《み》えない**というざんねんな飛行機《ひこうき》でした。

フランスは戦争《せんそう》が始《はじ》まってすぐに降《こう》伏《ふく》してしまったので、スクラップにされる予定《よてい》でした。しかし、**あまりにヘンテコな形《かたち》がドイツ軍《ぐん》に興味《きょうみ》を持《も》たせたのか、ドイツで開発《かいはつ》が続《つづ》けられ、ついに飛《と》ばすことに成功《せいこう》**。しかし、その後《ご》どうなったかはわかっていません。

BV141
BV P.202

見《み》晴《は》らしがいいから偵《てい》察《さつ》はかどる

開発《かいはつ》　ドイツ
年代《ねんだい》　1938年《ねん》

普段《ふだん》はあまり意識《いしき》しませんが、飛行機《ひこうき》は左《さ》右対称《ゆうたいしょう》が当《あ》たり前《まえ》です。なぜなら、そうしないと機体《きたい》のバランスが崩《くず》れて墜落《ついらく》してしまうからです。しかし、そんな飛行機《ひこうき》の常識《じょうしき》を超《こ》える**左右《さゆう》〝非対称《ひたいしょう》〟機《き》にこだわった設計者《せっけいしゃ》が**いました。その人物《じんぶつ》はドイツのリヒャルト・フォークト博士《はかせ》。彼《かれ》が考《かんが》えた飛行機《ひこうき》で最《もっと》も有《ゆう》名《めい》なのがＢＶ１４１です。

　ＢＶ１４１はエンジンとコックピットが別々《べつべつ》に分《わ》かれたヘンテコな形《かたち》をしています。

これは「見《み》晴《は》らしのよい偵察機《ていさつき》を造《つく》る」という考《かんが》え方《かた》から生《う》まれたもので、確《たし》かにこの形《かたち》ならエンジン部分《ぶぶん》が邪魔《じゃま》にならず、とてもよい視界《しかい》が得《え》られます。問題《もんだい》はその性能《せいのう》ですが、**実際《じっさい》に飛《と》ばすと思《おも》いのほか安定《あんてい》しており、軽《かろ》やかに飛《と》ぶ姿《すがた》は関係者《かんけいしゃ》を驚《おどろ》かせました。**結局《けっきょく》ＢＶ１４１は採用《さいよう》されませんでしたが、フォークト博士《はかせ》はこの経験《けいけん》から、斬新《ざんしん》すぎる形《かたち》の飛行機《ひこうき》をどんどん設計《せっけい》していくようになります。

リヒャルト・フォークト博士《はかせ》

なんと、翼《つばさ》が
ナナメになります。

飛《と》んだけど、
結局《けっきょく》エンジン不調《ふちょう》で
採用《さいよう》はされず…

BV P.202

プロフィール

■全《ぜん》　長《ちょう》……13m
■航続距離《こうぞくきょり》……1,900km
■最高速度《さいこうそくど》……438km/h
■兵《へい》　装《そう》……7.92mm 機関銃《きかんじゅう》 × 2

BV P.111 BV P.163

わざわざこんなにズラしたのはナゼ？

とにかく非対称《ひたいしょう》に
したかったみたい

BV P.111

開発《かいはつ》 ドイツ

年代《ねんだい》 1940年代《ねんだい》

フォークト博士《はかせ》が実際《じっさい》に飛行《ひこう》させたのはBV141でしたが、博士《はかせ》はこれ以外《いがい》にも、たくさんの機体《きたい》を計画《けいかく》していました。そのなかからほんの一部《いちぶ》をご紹介《しょうかい》しましょう。

この飛行機《ひこうき》はBV P.111というもので、前《まえ》と後《うし》ろのパーツが左右《さゆう》にズレてしまっています。**飛行機《ひこうき》を真《ま》ん中《なか》で真《ま》っ二《ぷた》つに切《き》ってしまったら、こんな形《かたち》になるのでしょう。**性能《せいのう》についてはよくわかっていませんが、果《は》たしてこの飛行機《ひこうき》は本当《ほんとう》に飛《と》ぶことができたのでしょうか。それすら疑《うたが》ってしまうほどヘンテコな形《かたち》をしています。

最後《さいご》に、フォークト博士《はかせ》が考《かんが》えた珍飛行《ちんひこう》機《き》のなかで、最《もっと》もヘンテコなものを紹介《しょうかい》し

翼《つばさ》の先《さき》に人《ひと》が乗《の》って本当《ほんとう》に飛《と》ぶんですか？

操縦手《そうじゅうしゅ》と機銃手《きじゅうしゅ》を分《わ》けるのは、デファイアントが同《おな》じ失敗《しっぱい》をしてるよ

BV P.163

ます。

このＢＶ Ｐ．１６３は、一見《いっけん》するとコックピットがどこにも付《つ》いていません。ではどこにあるのかというと、なんと、**主翼《しゅよく》の両端《りょうはし》**に付《つ》いているのです。こんなヘンなところにコックピットを付《つ》けて、パイロットはちゃんと飛行機《ひこうき》を動《うご》かせるのでしょうか。主翼《しゅよく》が左右《さゆう》に広《ひろ》がっているのでコックピットも２つあり、左側《ひだりがわ》が操縦担当《そうじゅうたんとう》で、右側《みぎがわ》は機関銃担当《きかんじゅうたんとう》になっていました。こんな飛行《ひこう》機《き》を本当《ほんとう》に飛《と》ばそうとしていたら、パイロットだってたまったものではなかったでしょう。

こういう形《かたち》の翼《つばさ》を
「デルタ翼《よく》」というんだ

リピッシュP.13a

紙《かみ》飛行機《ひこうき》をひっくり返《かえ》してジェットエンジンつけてみた

開発《かいはつ》 ドイツ

年代《ねんだい》 1944年《ねん》

プロフィール

■全長《ぜんちょう》……6.7m
■飛行距離《ひこうきょり》……1,000km
■最大速度《さいだいそくど》……1,650km/h
■兵装《へいそう》……不明《ふめい》

フォークト博士《はかせ》以外《いがい》にも、ドイツにはたくさんの飛行機《ひこうき》エンジニアがいます。そのなかから、アレクサンダー・リピッシュ博士《はかせ》が造《つく》ったリピッシュP.13aを紹介《しょうかい》しましょう。

この飛行機《ひこうき》はドイツが1944年《ねん》に造《つく》った小型飛行機《こがたひこうき》です。形《かたち》は非常《ひじょう》にシンプルで、**ジェットエンジンに三角形《さんかくけい》の翼《つばさ》を付《つ》けただけ**。コックピットは尾《び》翼《よく》のなかに収《おさ》まっています。さらに資《し》源節約《げんせつやく》のため、**燃料《ねんりょう》はガソリンではなく石炭《せきたん》を使《つか》っている有様《ありさま》**。果《は》たして空《そら》を飛《と》べるのかと思《おも》ったら意外《いがい》と性能《せいのう》がよく、結構安定《けっこうあんてい》していたようです。

第《だい》 6 章《しょう》

ざんねんな いきもの兵器《へいき》

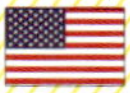

プロジェクト・ピジョン

ミサイルの行《い》き先《さき》はハトに聞《き》いてくれ

開発《かいはつ》 アメリカ
年代《ねんだい》 1940～50年代《ねんだい》

ハトは平和《へいわ》の象徴《しょうちょう》ですが、かつては軍隊《ぐんたい》の連絡用《れんらくよう》に伝書鳩《でんしょばと》が使《つか》われていたことがあるなど、決《けっ》して戦争《せんそう》と無関係《むかんけい》なわけではありません。中《なか》には、**ミサイルの誘導装置《ゆうどうそうち》に使《つか》われれそうになったハトたち**もいました。

アメリカの有名《ゆうめい》な心理学者《しんりがくしゃ》バラス・F・スキナーは、ミサイルを目標《もくひょう》へ誘導《ゆうどう》するための仕組《しく》みにカワラバトを使《つか》おうとしました。カワラバトといえば、公園《こうえん》などでよく見《み》るいたって普通《ふつう》の鳥《とり》ですが、スキナーはそのハトたちを使《つか》って、スクリーンに表示《ひょうじ》されたターゲットをつつくように訓練《くんれん》させました。**これをミサイルの中《なか》に組《く》み込《こ》み、ハトがスクリーンをつつくとミサイルの軌道《きどう》が変《か》わるといった仕組《しく》みになっていました。**

この計画《けいかく》は「プロジェクト・ピジョン」*と呼《よ》ばれて研究《けんきゅう》されましたが、途中《とちゅう》で中止《ちゅうし》となりました。ミサイルに使《つか》う電子機器《でんしきき》の開発《かいはつ》が進《すす》んだので、わざわざハトを使《つか》う必要《ひつよう》がなくなったからです。スキナーの手元《てもと》に残《のこ》ったのは、もう使《つか》い道《みち》のなくなったハト小屋《ごや》と、**40羽《わ》ほどの元気《げんき》なカワラバトたち**だけでした。

プロフィール

■名《めい》 称《しょう》……カワラバト ■体《たい》 長《ちょう》……約《やく》30cm
■分《ぶん》 類《るい》……ハト目《もく》ハト科《か》 ■分《ぶん》 布《ぶ》……世界中《せかいじゅう》

＊「ハト計画《けいかく》」の意味《いみ》。のちに「プロジェクト・オルコン」に改名《かいめい》されました。

七面鳥《しちめんちょう》パラシュート

荷物《にもつ》を傷《きず》つけないよう しっかり届《とど》ける七面鳥《しちめんちょう》

飛《と》べない
トリなのに
パラシュート
降下《こうか》!?

開発《かいはつ》 スペイン
年代《ねんだい》 1930年代《ねんだい》

プロフィール

■名《な》　前《まえ》……シチメンチョウ
■分《ぶん》　類《るい》……キジ科《か》シチメンチョウ属《ぞく》
■分《ぶん》　布《ぷ》……北《きた》アメリカ
■大《おお》きさ……約《やく》1m

七面鳥《しちめんちょう》といえば、アメリカに生息《せいそく》する飛《と》べない鳥《とり》の仲間《なかま》として有名《ゆうめい》ですが、そんな七面鳥《しちめんちょう》があろうことか、パラシュートの代《か》わりとして使《つか》われました。

スペインのような山《やま》がちな地形《ちけい》で普通《ふつう》のパラシュートを使《つか》った場合《ばあい》、地面《じめん》にぶつかった衝撃《しょうげき》で補給品《ほきゅうひん》が傷《きず》つくおそれがあったからです。

そこで、七面鳥《しちめんちょう》に補給品《ほきゅうひん》をつけて空《そら》から落《お》とします。すると七面鳥《しちめんちょう》は落《お》ちるまいと必死《ひっし》に羽根《はね》をバタつかせるので、その分《ぶん》**落《お》ちるスピードが遅《おそ》くなり、普通《ふつう》のパラシュートより安定《あんてい》して着地《ちゃくち》**することが出来《でき》たのです。

ざんねん度《ど》

コウモリ爆弾《ばくだん》

わざわざ爆弾《ばくだん》を持《も》って家《いえ》に隠《かく》れる必要《ひつよう》ある？

プロフィール

■名《めい》　称《しょう》……メキシコオヒキコウモリ
■体《たい》　長《ちょう》……約《やく》5cm
■分《ぶん》　類《るい》……コウモリ目《もく》オヒキコウモリ科《か》
■分《ぶん》　布《ぷ》……アメリカ テキサス州《しゅう》

開発《かいはつ》　アメリカ
年代《ねんだい》　1940年代《ねんだい》

爆弾《ばくだん》の一種《いっしゅ》に、焼夷弾《しょういだん》というものがあります。この爆弾《ばくだん》は爆発《ばくはつ》すると大《おお》きく燃《も》え上《あ》がり、火災《かさい》を起《お》こして目標《もくひょう》を破壊《はかい》します。**アメリカはこれにコウモリを使《つか》おうとしたことがありました。**

夜行性《やこうせい》のコウモリは、夜《よ》が明《あ》けると暗《くら》い場所《ばしょ》に隠《かく》れる習性《しゅうせい》があります。その習性《しゅうせい》を利用《りよう》し、タイマー式《しき》の焼夷弾《しょういだん》を取《と》り付《つ》け、夜明《よあ》け前《まえ》に爆撃機《ばくげきき》から投《とう》下《か》します。朝《あさ》になるとコウモリが民家《みんか》のあちこちに隠《かく》れ、タイマーが爆発《ばくはつ》し、家《いえ》を燃《も》やすという計画《けいかく》です。**特《とく》にそんな回《まわ》りくどいことをする必要性《ひつようせい》がなかったので、計画《けいかく》は中止《ちゅうし》されました。**

ヴォイテク伍長《ごちょう》

立派《りっぱ》に任務《にんむ》を果《は》たしたヒグマのお話《はなし》

所属《しょぞく》 ポーランド

年代《ねんだい》 1940年代《ねんだい》

プロフィール

■名称《めいしょう》……シリアヒグマ　■分布《ぶんぷ》……中東《ちゅうとう》
■分類《ぶんるい》……クマ科《か》クマ属《ぞく》　■大《おお》きさ……約《やく》180cm

シリアヒグマのヴォイテクは、**第二次世界**《だいにじせかい》**大戦**《たいせん》**でポーランド軍**《ぐん》**に所属**《しょぞく》**した兵隊**《へいたい》**クマ**です。

彼《かれ》は子供《こども》のときにポーランド軍第《ぐんだい》22弾薬補《だんやくほ》給中隊《きゅうちゅうたい》の兵士《へいし》に育《そだ》てられ、部隊《ぶたい》のマスコットとして人気者《にんきもの》になりました。大好物《だいこうぶつ》はビールとタバコで、タバコは吸《す》えないので直接《ちょくせつ》食《た》べていました。

やがて部隊《ぶたい》はイタリアの戦《たたか》いに参加《さんか》が決《き》まりましたが、ここで問題《もんだい》が発生《はっせい》します。動物《どうぶつ》のヴォイテクは乗船名簿《じょうせんめいぼ》を作《つく》れず船《ふね》に乗《の》せてもらえなかったのです。

そこで、軍《ぐん》は**ヴォイテクを徴兵**《ちょうへい》**して伍長**《ごちょう》**＊の階級**《かいきゅう》**を与**《あた》**え、〝兵士**《へいし》**〟としてイタリアへ送**《おく》**ることを決定**《けってい》しました。

晴《は》れて入隊《にゅうたい》したヴォイテク伍長《ごちょう》はイタリアへ送《おく》られ、戦場《せんじょう》で弾薬《だんやく》を運《はこ》ぶ任務《にんむ》に従事《じゅうじ》します。**足場**《あしば》**の悪**《わる》**い山岳地帯**《さんがくちたい》**でも決**《けっ》**して弾薬箱**《だんやくばこ》**を落**《お》**とさず、常**《つね》**に兵士**《へいし》**として戦**《たたか》**い続**《つづ》**けたヴォイテクは、無事**《ぶじ》**に第二次世界大戦**《だいにじせかいたいせん》**を生**《い》**き延**《の》**びることが出来**《でき》**ました。**

戦後《せんご》、ヴォイテクはイギリスのエディンバラ動物園《どうぶつえん》で余生《よせい》を送《おく》り、彼《かれ》が所属《しょぞく》した第《だい》22弾《だん》薬補給中隊《やくほきゅうちゅうたい》は、砲弾《ほうだん》を担《かつ》ぐヴォイテクの姿《すがた》をエンブレムにしました。

終戦後《しゅうせんご》は動物園《どうぶつえん》に
贈《おく》られ
余生《よせい》を過《す》ごしたんだ

＊陸軍《りくぐん》の一般兵士《いっぱんへいし》より少《すこ》し偉《えら》い階級《かいきゅう》。

軍用《ぐんよう》イルカ

軍事《ぐんじ》でも人間《にんげん》と深《ふか》く関《かか》わってきました

開発《かいはつ》 アメリカ ロシア

年代《ねんだい》 1960年代《ねんだい》～現在《げんざい》

バンドウイルカといえば、水族館《すいぞくかん》のイルカショーでおなじみで、頭《あたま》もよく、とても人間《にんげん》と関《かか》わりの深《ふか》い動物《どうぶつ》です。そんなイルカですが、**実《じつ》は軍事目的《ぐんじもくてき》でも使用《しよう》されています。**

といっても、軍用《ぐんよう》イルカの任務《にんむ》は船《ふね》を沈《しず》めたりすることなどではありません。**彼《かれ》らの代《だい》表的《ひょうてき》な任務《にんむ》は、海《うみ》に潜《もぐ》ったダイバーの救助活《きゅうじょかつ》動《どう》です。**イルカは人間《にんげん》より大《おお》きくて泳《およ》ぎが上《じょう》手《ず》なので、背中《せなか》にダイバーを乗《の》せて救助《きゅうじょ》することができるのです。

また、少《すこ》し危険《きけん》な任務《にんむ》として**機雷《きらい》の発見《はっけん》があります。**機雷《きらい》とは、船《ふね》を沈《しず》めるために海《うみ》に浮《う》かべられた爆弾《ばくだん》のことで、それをイルカが発見《はっけん》し、兵士《へいし》が処分《しょぶん》するのです。

イルカを軍事目的《ぐんじもくてき》で使用《しよう》する研究《けんきゅう》は、アメリカとロシアで行《おこな》っていました。ロシアでは1990年代《ねんだい》に計画《けいかく》が中止《ちゅうし》されましたが、アメリカは現在《げんざい》も続《つづ》けています。最近《さいきん》はイルカを使《つか》わなくて済《す》むように新《あたら》しい兵器《へいき》やセンサーの開発《かいはつ》も進《すす》められており、イルカが平和《へいわ》な海《うみ》を泳《およ》げるようになる日《ひ》も近《ちか》づいているようです。

イルカも平和《へいわ》のために
頑張《がんば》ってます

プロフィール

■名《めい》　称《しょう》……バンドウイルカ
■分《ぶん》　類《るい》……クジラウシ目《もく》ハクジラ亜目《あもく》マイルカ科《か》
■体《たい》　長《ちょう》……約《やく》3m～4m
■分《ぶん》　布《ぷ》……世界中《せかいじゅう》

ブルーピーコック計画《けいかく》

開発《かいはつ》 イギリス
年代《ねんだい》 1950年代《ねんだい》

タマゴじゃないんだから爆弾《ばくだん》を温《あたた》めさせないで！

なんでニワトリを
使《つか》おうと
思《おも》ったんだろう……

プロフィール

■分類《ぶんるい》……キジ科《か》キジ亜科《あか》ヤケイ属《ぞく》
■体重《たいじゅう》……約《やく》2～3kg
■大《おお》きさ……約《やく》1.8cm
■分布《ぶんぷ》……世界中《せかいじゅう》

冷戦時代《れいせんじだい》、イギリスはソ連《れん》のヨーロッパ攻撃《こうげき》に備《そな》えて、核地雷《かくじらい》と呼《よ》ばれる兵器《へいき》をドイツに持《も》ち込《こ》もうとしました。あらかじめ地中《ちちゅう》に核爆弾《かくばくだん》を埋《う》めて起爆《きばく》させるのですが、この起爆《きばく》スイッチは寒《さむ》さに弱《よわ》く、イギリスはこの問題《もんだい》を解《かい》決《けつ》するため驚《おどろ》くべき結論《けつろん》を出《だ》しました。それは、**生《い》きたニワトリを核地雷《かくじらい》の中《なか》に入《い》れて保温材《ほおんざい》にする**というものです。核地雷《かくじらい》は埋《う》めてから約《やく》1週間《しゅうかん》で爆発《ばくはつ》する設計《せっけい》で、その間《あいだ》のニワトリのエサも用意《ようい》されることになっていました。しかし、ヨソの国《くに》に核兵器《かくへいき》を埋《う》めること自体《じたい》が大問題《だいもんだい》なので、計画《けいかく》は中止《ちゅうし》に。

ざんねん度《ど》

DragonflEye計画《けいかく》

トンボが元祖《がんそ》のドローンだった

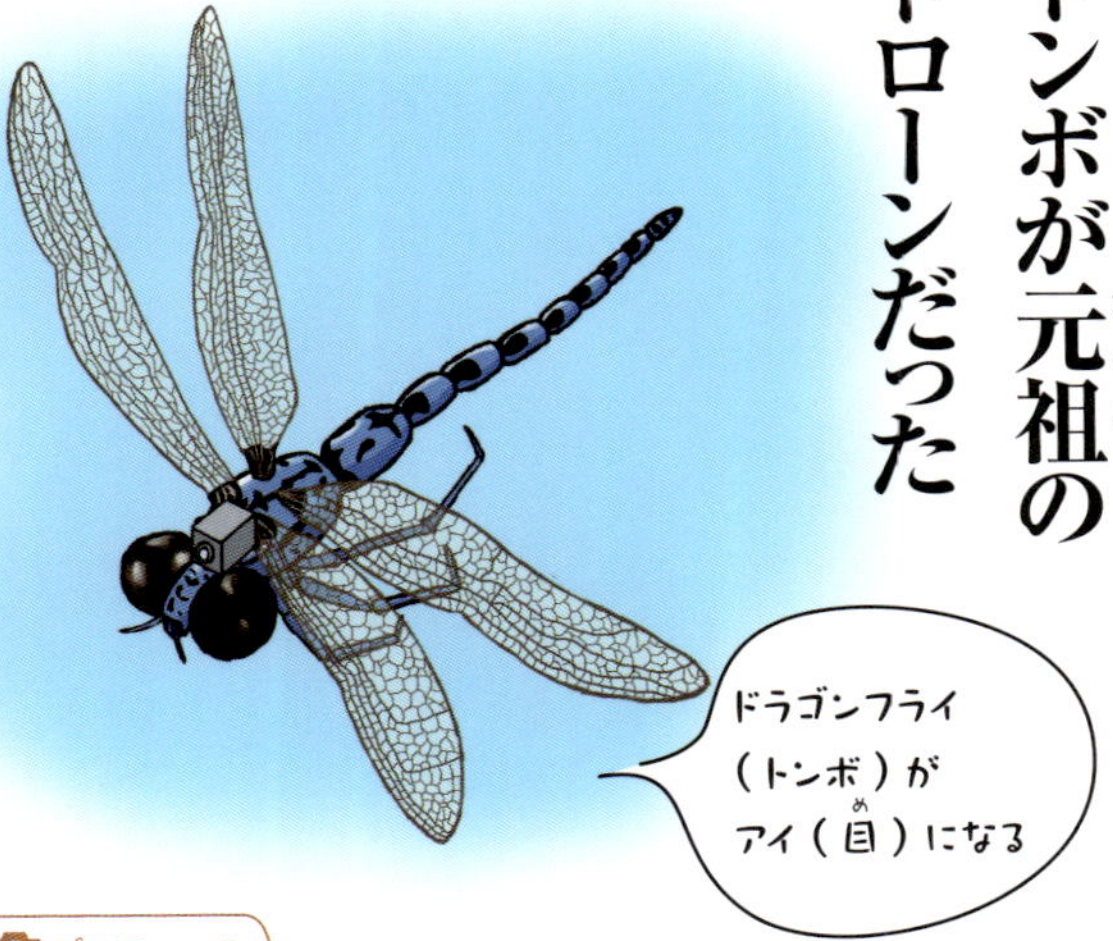

開発《かいはつ》 アメリカ

年代《ねんだい》 2010年代《ねんだい》～現在《げんざい》

プロフィール

■名称《めいしょう》……イトトンボ
■体長《たいちょう》……約《やく》40mm
■分類《ぶんるい》……トンボ目《もく》イトトンボ亜目《あもく》イトトンボ科《か》
■分布《ぶんぷ》……世界中《せかいじゅう》

現代《げんだい》では無人航空機《むじんこうくうき》、通称《つうしょう》ドローンが広《ひろ》く知《し》られるようになってきました。そんななか、アメリカではトンボをドローンにする計画《けいかく》が進《すす》んでいます。**その名《な》も"DragonflEye"計画《けいかく》*です。**

トンボは小《ちい》さな昆虫《こんちゅう》ですが、空中《くうちゅう》で止《と》まったり、すばやく移動《いどう》できる特徴《とくちょう》的《てき》な羽根《はね》を持《も》っています。さらにその小《ちい》ささが敵《てき》に見《み》つかりにくいので、**トンボに超小型《ちょうこがた》カメラを付《つ》け、人間《にんげん》の"目《め》"になってもらうのです。**コントロールは装置《そうち》から発《はっ》する光《ひかり》の反応《はんのう》で行《おこな》い、外部《がいぶ》から操縦《そうじゅう》します。まさに元祖《がんそ》ドローンといえるでしょう。

＊英語《えいご》で"トンボ"を意味《いみ》する"Dragonfly《ドラゴンフライ》"と、"目《め》"を意味《いみ》する"Eye《アイ》"のかけ言葉《ことば》。

おわりに

兵器《へいき》の開発《かいはつ》は、単純《たんじゅん》に強《つよ》さばかりを求《もと》めれば良《よ》いというものではありません。兵器《へいき》の開発《かいはつ》で大事《だいじ》なポイントは、①造《つく》りやすい　②使《つか》いやすい　③強《つよ》い　というものです。

いくら強《つよ》い兵器《へいき》を造《つく》ったところで、それ1個《こ》だけでは戦争《せんそう》に勝《か》つことは出来《でき》ません。そんなに強《つよ》くなかったとしても、造《つく》りやすくて使《つか》いやすい兵器《へいき》をたくさん造《つく》ることが出来《でき》れば、それだけ戦争《せんそう》を有利《ゆうり》に進《すす》めることが出来《でき》ます。

ざんねんな兵器《へいき》たちは、最初《さいしょ》から〝ざんねん〟になろうとして造《つく》られたわけではありません。当時《とうじ》のエンジニアや発明家《はつめいか》たちが、より良《よ》い兵器《へいき》を造《つく》ろうと考《かんが》えて生《う》まれたものです。しかし、〝ざんねんな兵器《へいき》〟のなかには、〝造《つく》りやすさ〟と〝使《つか》いやすさ〟のどちらかが欠《か》けてしまったものが多《おお》いことに気《き》づかされます。

　発想《はっそう》は良《よ》かったものの設計《せっけい》がひどかった兵器《へいき》、欲《よく》ばって最新技術《さいしんぎじゅつ》を取《と》り入《い》れようとして失敗《しっぱい》した兵器《へいき》、強《つよ》さばかりを考《かんが》えて造《つく》りやすさを考《かんが》えなかった兵器《へいき》……そういった〝ざんねんな兵器《へいき》〟の歴史《れきし》が、現代《げんだい》の兵器開発《へいきかいはつ》につながっています。

　戦《たたか》いあるところ珍兵器《ちんへいき》あり。そんな戦《たたか》いのなかで生《う》まれた〝ざんねんな兵器《へいき》〟たちに思《おも》いをはせ、筆《ふで》をおきたいと思《おも》います。

さくいん

STAFF

企　　画：MIHO（BALZO）
世界兵器史研究会：古田和輝、伊藤明弘、佐野之彦
イラスト：ハマダミノル
デザイン：おおつかさやか
校　　正：川平いつ子
出版協力：中野健彦（ブックリンケージ）

ざんねんな兵器図鑑《へいきずかん》

2019年11月22日　初版発行
2024年 6 月10日　 9 版発行

著者／世界兵器史研究会《せかいへいきしけんきゅうかい》

発行者／山下　直久

発行／株式会社KADOKAWA
〒102-8177　東京都千代田区富士見2-13-3
電話　0570-002-301（ナビダイヤル）

印刷所／大日本印刷株式会社

本書の無断複製（コピー、スキャン、デジタル化等）並びに
無断複製物の譲渡及び配信は、著作権法上での例外を除き禁じられています。
また、本書を代行業者などの第三者に依頼して複製する行為は、
たとえ個人や家庭内での利用であっても一切認められておりません。

●お問い合わせ
https://www.kadokawa.co.jp/（「お問い合わせ」へお進みください）
※内容によっては、お答えできない場合があります。
※サポートは日本国内のみとさせていただきます。
※Japanese text only

定価はカバーに表示してあります。

©Akihiro Ito 2019　Printed in Japan

ISBN 978-4-04-604581-2　C0076